PHILIPPA PERRY é escritora e psicoterapeuta. Escreve para os jornais *Guardian* e *Observer*, e para as revistas *Time Out* e *Healthy Living*, além de ter uma coluna na revista *Psychologies*. Em 2010, escreveu a novela gráfica *Couch Fiction*, na tentativa de desmistificar a psicoterapia. Mora em Londres e em Sussex com seu marido, o artista Grayson Perry. Gosta de jardinagem, culinária, festas, e também de conversar, twittar e ver televisão.

THE SCHOOL OF LIFE se dedica a explorar as questões fundamentais da vida: Como podemos desenvolver nosso potencial? O trabalho pode ser algo inspirador? Por que a comunidade importa? Relacionamentos podem durar uma vida inteira? Não temos todas as respostas, mas vamos guiá-lo na direção de uma variedade de ideias úteis – de filosofia a literatura, de psicologia a artes visuais – que vão estimular, provocar, alegrar e consolar.

A marca FSC® é a garantia de que a madeira utilizada na fabricação do papel deste livro provém de florestas que foram gerenciadas de maneira ambientalmente correta, socialmente justa e economicamente viável, além de outras fontes de origem controlada.

Como manter
a mente sã
Philippa Perry

Tradução: Cristina Paixão Lopes

6ª reimpressão

OBJETIVA

Copyright © The School of Life 2012
Publicado primeiramente em 2012 por Macmillan, um selo da Pan Macmillan, uma divisão da Macmillan Publishers Limited.
Todos os direitos reservados.

Grafia atualizada segundo o Acordo Ortográfico da Língua Portuguesa de 1990, que entrou em vigor no Brasil em 2009.

Título original
How to Stay Sane

Capa e ilustrações
Adaptação de Trio Studio sobre design original de Marcia Mihotich

Projeto gráfico
Adaptação de Trio Studio sobre design de seagulls.net

Revisão
Ana Grillo
Édio Pullig
Fátima Fadel

Editoração eletrônica
Trio Studio

Impressão e acabamento
Gráfica Bartira

CIP-BRASIL. CATALOGAÇÃO-NA-FONTE
SINDICATO NACIONAL DOS EDITORES DE LIVROS, RJ

P547c
Perry, Philippa
 Como manter a mente sã / Philippa Perry ; tradução de Cristina Paixão Lopes. — 1ª ed. — Rio de Janeiro : Objetiva, 2012.

 (The school of life)

 Tradução de: How to stay sane.

 160p. ISBN 978-85-390-0393-8

 1. Saúde mental. 2. Psicoterapia. 3. Bem-estar. I. Título. II. Série.

12-4811.   CDD: 613
                                                        CDU: 613

[2020]
Todos os direitos desta edição reservados à
EDITORA SCHWARCZ S.A.
Praça Floriano, 19, sala 3001 — Cinelândia
20031-050 — Rio de Janeiro — RJ
Telefone: (21) 3993-7510
www.companhiadasletras.com.br
www.blogdacompanhia.com.br
facebook.com/editoraobjetiva
instagram.com/editora_objetiva
twitter.com/edobjetiva

Sumário

Introdução	9
1. Auto-observação	23
2. Relacionando-se com os outros	41
3. Estresse	69
4. Qual é a história?	85
Conclusão	111
Exercícios	115
Notas	145
Dever de casa	149
Agradecimentos	153

Para Mark Fairclough (Papai)

Introdução

Em *Manual Diagnóstico e Estatístico de Transtornos Mentais*, o manual que a maioria dos psiquiatras e muitos psicoterapeutas usam para definir os tipos e as nuances de insanidade, você vai encontrar a descrição de inúmeros transtornos de personalidade. Apesar da enorme variedade, e apesar da proliferação de transtornos definidos em edições sucessivas, essas definições estão incluídas em apenas dois grupos principais.[1] Em um grupo estão as pessoas que se perderam no caos e cujas vidas oscilam de crise em crise; no outro, aqueles que se tornam escravos de uma rotina e agem de acordo com um grupo limitado de reações antiquadas e rígidas. Alguns de nós conseguimos pertencer aos dois grupos de uma vez só. Então, qual a solução para o problema de reagir ao mundo de uma maneira demasiadamente rígida, ou de sentir-se tão afetado por ele que existimos em um estado contínuo de caos? Vejo isso como um caminho bastante vasto, com muitas bifurcações e desvios, e nenhum caminho "certo". De tempos em tempos, podemos nos desviar demais para o lado excessivamente rígido, e nos sentirmos presos; poucos de nós, por outro lado, vai passar pela vida sem ocasionalmente ir longe demais para o outro lado e experimentar se sentir caótico e fora de controle. Este livro é sobre como se manter no caminho entre esses dois extremos, como se manter estável e, no entanto, flexível, coerente e, ainda assim, capaz de abraçar a complexidade. Em outras palavras, este livro é sobre como manter a mente sã.

Não posso fazer de conta que existe um conjunto simples de instruções que possa garantir a sanidade. Cada um de nós é o produto de uma combinação diferente de genes e experimentou um conjunto único de relações formativas. Para cada um de nós que precisa assumir o risco de ser mais aberto, há outro que precisa praticar a autossuficiência. Para cada pessoa que precisa aprender a confiar mais, há outra que precisa experimentar mais discernimento. O que me faz feliz pode deixá-lo triste, o que acho útil você pode considerar prejudicial. Instruções específicas sobre como pensar, sentir e se comportar oferecem portanto poucas respostas. Assim, em vez disso, quero sugerir uma maneira de pensar sobre o que acontece em nossos cérebros, como se desenvolveram e continuam a se desenvolver. Acredito que, se soubermos imaginar como nossas mentes se formam, seremos mais capazes de reformar a maneira como vivemos. Essa prática de pensar sobre o cérebro ajudou a mim e alguns de meus clientes a ficar mais no controle de nossas vidas; há uma chance, então, de que possa ajudar você.

Platão compara a alma a uma carruagem sendo puxada por dois cavalos. O cocheiro é a Razão, um cavalo é o Espírito, o outro cavalo é o Apetite. As metáforas que usamos através dos séculos para pensar sobre a mente seguiram mais ou menos esse modelo. Minha abordagem é apenas outra versão, e é influenciada pela neurociência em conjunto com outras abordagens terapêuticas.

Três cérebros em um

Em anos recentes, cientistas desenvolveram uma nova teoria do cérebro. Começaram a entender que ele não é composto de uma única estrutura, mas de três estruturas diferentes, que, ao longo do tempo, passam a operar conjuntamente, porém permanecem distintas.

A primeira dessas estruturas é o tronco cerebral, às vezes referido como cérebro reptiliano. É operacional no nascimento e responsável por nossos reflexos e músculos involuntários, como o coração. Em certos momentos, pode salvar nossas vidas. Quando distraidamente entramos na frente de um ônibus, é nosso tronco cerebral que nos faz saltar para a calçada antes de termos tempo de perceber o que está acontecendo. É o tronco cerebral que nos faz piscar quando dedos movem-se perto de nossos olhos. O tronco cerebral não vai ajudá-lo a resolver um Sudoku, mas em um nível básico, essencial, ele o mantém vivo, permite que você funcione e se mantenha longe de muitos tipos de perigo.

As outras duas estruturas do cérebro são o cérebro mamífero, ou direito, e o neomamífero, ou esquerdo. Embora continuem a se desenvolver ao longo da vida, essas duas estruturas têm maior desenvolvimento nos nossos primeiros cinco anos de vida. Uma célula cerebral individual não trabalha sozinha. Ela precisa se ligar a outras células cerebrais para funcionar. Nosso cérebro se desenvolve conectando células cerebrais individuais para criar vias neurais. A conexão acontece como resultado da interação com outros, então o desenvolvimento do nosso cérebro tem mais a ver com nossos primeiros relacionamentos do que com genética; com alimentação, mais do que com natureza.

Isso significa que muitas das diferenças entre nós podem ser explicadas pelo que regularmente acontecia conosco quando éramos bem pequenos. Nossas experiências na verdade dão forma à nossa massa cefálica. Para citar um caso extremo da lenda, se não nos

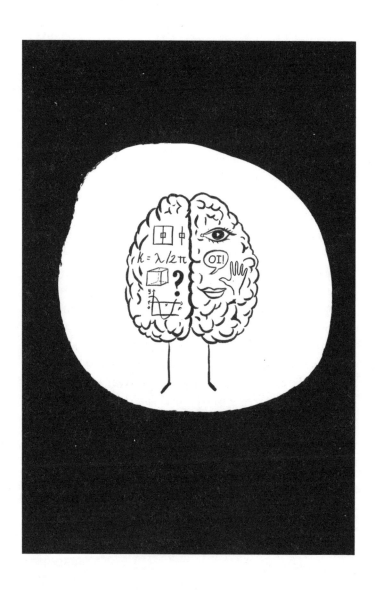

relacionarmos com outra pessoa nos primeiros anos de vida, mas formos alimentados, por exemplo, por um lobo, nossos padrões comportamentais serão mais lupinos que humanos.

Em nossos primeiros dois anos, o cérebro direito é muito ativo enquanto o esquerdo é quiescente e menos ativo. No entanto, nos anos seguintes, o desenvolvimento muda; o desenvolvimento do cérebro direito fica mais lento e o esquerdo inicia um período de notável atividade. A maneira de nos ligarmos aos outros; como confiamos; quão confortáveis normalmente nos sentimos com nós mesmos; quão rápida ou lentamente conseguimos nos confortar depois de uma chateação, tudo isso tem uma base firme nas vias neurais depositadas no cérebro direito mamífero em nossos primeiros anos de vida. O cérebro direito pode, portanto, ser considerado o assento primário da maior parte de nossas emoções e nossos instintos. É a estrutura que em grande parte simpatiza, se harmoniza e se relaciona com os outros. O cérebro direito não apenas se desenvolve primeiro, como também permanece no controle. Com um olhar, uma fungada, o cérebro direito absorve e faz uma avaliação de qualquer situação. Como o duque de Gloucester diz, em *Rei Lear* de Shakespeare, quando olha para si mesmo: "Eu o vejo com sentimento."

O que chamamos de cérebro esquerdo pode ser considerado a estrutura do primeiro idioma, da lógica e do raciocínio do nosso cérebro. Usamos nosso cérebro esquerdo para processar experiência em linguagem, para articular nossos pensamentos e ideias para nós mesmos e para os outros, e para levar planos adiante. A ciência baseada em evidências foi desenvolvida com o uso das habilidades do cérebro esquerdo, assim como as disciplinas de classificação e ordenação da taxonomia, filosofia e filologia.

Como eu disse, nos primeiros dois anos de vida, o desenvolvimento do cérebro esquerdo é muito mais lento do que o do direito, motivo pelo qual as bases de nossa personalidade já estão estabelecidas antes que o cérebro esquerdo, com sua capacidade para a linguagem e a lógica, tenha a habilidade para influenciá-las. Esse poderia ser o motivo de o cérebro direito tender a permanecer dominante. Você pode perceber a influência do que estou chamando de cérebros esquerdo e direito quando vive o familiar dilema de ter muito boas razões para fazer a coisa sensata, mas acaba fazendo a outra coisa mesmo assim. A sua parte aparentemente sensata (seu cérebro esquerdo) tem a linguagem, mas a outra (seu cérebro direito) normalmente parece ter o poder.

Quando somos bebês, nossos cérebros se desenvolvem em uma relação com nossos primeiros cuidadores. Quaisquer que sejam os sentimentos e processos de pensamento que eles nos dão são refletidos, respondidos e estabelecidos em nossos cérebros em crescimento. Quando as coisas vão bem, nossos pais e cuidadores também refletem e validam nossos humores e estados mentais, reconhecendo e respondendo ao que estamos sentindo. Assim, quando temos em torno de 2 anos, nossos cérebros já terão padrões distintos e individuais. É então que nossos cérebros direitos amadurecem o suficiente para poder entender a linguagem. Esse desenvolvimento dual possibilita que integremos nossos dois cérebros, a certo ponto. Tornamo-nos capazes de usar o cérebro esquerdo para colocar em palavras os sentimentos do direito.

No entanto, se nossos cuidadores ignorarem alguns de nossos humores, ou consciente ou inconscientemente nos punirem por isso, podemos ter problemas mais tarde, porque seremos menos capazes de processar esses mesmos sentimentos quando surgirem e menos capazes de entendê-los com a linguagem.

Assim, se nosso relacionamento com nossos primeiros cuidadores estiver longe do ideal, ou se mais tarde enfrentarmos um trauma tão severo a ponto de desfazer a segurança estabelecida na nossa infância, podemos vir a ter dificuldades emocionais no futuro. Mas, embora seja tarde demais para ter uma infância mais feliz ou para evitar um trauma que já aconteceu, é possível mudar o curso.

Psicoterapeutas usam o termo "introjeção" para descrever a incorporação inconsciente das características de uma pessoa ou cultura em nossa própria psique. Nós tendemos a introjetar o modo como fomos criados e continuar do ponto onde nossos primeiros cuidadores pararam — portanto, padrões de sentimento, pensamento, reação e realização se aprofundam e se arraigam. Isso talvez não seja uma coisa ruim: nossos pais podem ter feito um bom trabalho. No entanto, se estivermos deprimidos ou insatisfeitos, talvez queiramos modificar padrões para nos tornarmos mais sãos e felizes.

Como fazer isso? Não existe receita infalível. Quando estamos caindo profundamente na rotina e/ou no caos, precisamos interromper nossa queda — com medicação ou com um conjunto diferente de comportamentos: talvez queiramos um novo foco na vida; talvez possamos nos beneficiar de novas ideias ou de qualquer outra coisa. (Estou sendo intencionalmente vaga; o que funciona para uma pessoa pode não funcionar para outra.)

No entanto, em toda psicoterapia bem-sucedida, percebo que a mudança acontece em quatro áreas: "auto-observação", "relação com os outros", "estresse" e "narrativa pessoal".[2] Essas são áreas em que podemos trabalhar sozinhos, fora da psicoterapia. Vão nos ajudar a manter a flexibilidade de que precisamos para a sanidade e o desenvolvimento, e é para elas que agora vamos nos voltar.

1. Auto-observação

Sócrates afirmava que "a vida não examinada não vale a pena ser vivida". Essa é uma postura extrema, mas eu realmente acredito que o desenvolvimento contínuo de uma parte auto-observadora e não crítica de nós mesmos é crucial para nossa sabedoria e sanidade. Quando praticamos a auto-observação, aprendemos a ficar do lado de fora de nós mesmos, para sentir, reconhecer e avaliar sentimentos, sensações e pensamentos conforme ocorrem e conforme determinam nosso estado de ânimo e comportamento. O desenvolvimento dessa capacidade nos permite ser receptivos e não críticos. Ele nos dá espaço para decidir como agir e é a parte de nós que escuta e reúne nossas emoções e nossa lógica. Para maximizar nossa sanidade, precisamos desenvolver a auto-observação. Esse é um trabalho que nunca se encerra.

2. Relação com os outros

Todos nós precisamos de relacionamentos seguros, confiáveis e enriquecedores. Isso poderia incluir um relacionamento amoroso.

Ao contrário do que algumas pessoas pensam, romance não é necessariamente um pré-requisito para a felicidade; mas alguns de nossos relacionamentos precisam ser enriquecedores: um relacionamento enriquecedor pode ser com um terapeuta, um professor, um amante, amigos ou nossos filhos — alguém que não apenas ouça, mas leia nas entrelinhas e possa até gentilmente nos desafiar. Nós nos formamos em relacionamentos: e nos desenvolvemos como resultado de relacionamentos subsequentes.

3. Estresse

O tipo certo de estresse cria estimulação positiva. Ele nos impelirá a aprender coisas novas e a ser criativos, mas não será tão opressor a ponto de nos fazer entrar em pânico. O estresse bom estabelece novas e maravilhosas conexões neurais. É o que precisamos para desenvolvimento e crescimento pessoais.

4. Qual é a história? (Narrativa pessoal)

Se conhecermos bem as histórias que vivemos, seremos capazes de editá-las e modificá-las se necessário. Como boa parte do nosso eu é formado pré-verbalmente, as crenças que nos guiam podem estar escondidas de nós. Podemos ter crenças que começam com: "Eu sou o tipo de pessoa que..." ou "Este não sou eu; não faço isso...". Se nos concentrarmos em tais histórias e as virmos a partir de novos ângulos, poderemos encontrar maneiras novas e mais flexíveis de definir a nós mesmos, os outros e tudo à nossa volta.

Embora o conteúdo de nossas vidas e os métodos que usamos para processá-lo sejam diferentes para todos nós, essas áreas da nossa psique são os pilares da nossa sanidade. Nas páginas a seguir, analisarei essas quatro áreas-chave mais detalhadamente.

1. Auto-observação

Quando defendo a auto-observação, as pessoas às vezes pensam que esta é apenas outra forma de se tornar um egocêntrico preocupado apenas com o próprio umbigo. Mas auto-observação não é *obsessão por si próprio*. Ao contrário, é uma ferramenta que nos permite ficar *menos* obcecados por nós mesmos, porque ela nos ensina a não nos deixar dominar por pensamentos e sentimentos obsessivos. Com a auto-observação desenvolvemos uma maior clareza interna e podemos nos tornar mais abertos à vida emocional das pessoas que nos cercam. Essa nova receptividade e compreensão melhorarão muito nossa vida e nossos relacionamentos.

A auto-observação é uma prática antiga defendida por Buda, Sócrates, George Gurdjieff e Sigmund Freud, entre outros. Quando adquirimos prática na auto-observação, torna-se menos provável que ajamos a partir de nossos sentimentos ocultos e repitamos padrões de autossabotagem, e mais provável que tenhamos compaixão por nós mesmos e, consequentemente, pelos outros.

A habilidade de observar e ouvir os sentimentos e sensações corporais é essencial para permanecermos sãos. Precisamos ser capazes de usar nossos sentimentos, mas não de ser usados por eles. Se *somos* nossas emoções, e não seus *observadores*, entramos em um estado de confusão mental. Quando, por outro lado, reprimimos completamente nossos sentimentos, escorregamos para o outro lado, o da rigidez. Há uma diferença entre dizer "Eu sou bravo" e "Eu sinto raiva". A primeira afirmação é uma descrição que parece fechada. A segunda é o *reconhecimento* de um sentimento, e não define todo o nosso ser. Da mesma forma que é importante sermos capazes de separar nós mesmos de nossos sentimentos, também é necessário que sejamos capazes de observar nossos pensamentos. Assim poderemos perceber os diferentes tipos de pensamento que temos e examiná-los, em vez de *ser* eles. Isso nos permite perceber quais pensamentos nos fazem bem, ou se nossa ruminação interior é autodestrutiva.

Para ajudar na explicação da teoria, vamos observar este exemplo: como uma mãe observa seu bebê a fim de compreendê-lo. Ela reflete nele suas expressões, seus estados interiores e, a partir do que observa, aprende a compreender suas necessidades a cada momento. Ser observado, compreendido e atendido dessa forma é vital para a formação da nossa personalidade e, na verdade, para a sobrevivência. A prática da auto-observação reflete o modo pelo qual uma mãe observa e se sintoniza com seu bebê. Auto-observação é um método de reeducarmos a nós mesmos. Quando nos auto-observamos ajudamos a nos formar e reformar.

Talvez ajude se pensarmos na nossa parte de auto-observação como uma parte distinta dentro de nós mesmos. Ela aceita e não julga. Reconhece o que é, e não o que deveria ser, e não atribui valores como "certo" ou "errado". Percebe emoções e pensamentos, mas nos dá espaço para decidir como agir a partir deles. É a parte de nós que ouve tanto as nossas emoções como a nossa lógica e está consciente da informação sensorial.

Para começar a se auto-observar, faça a si mesmo as seguintes perguntas:

O que estou sentindo agora?
No que estou pensando agora?
O que estou fazendo neste momento?
Como estou respirando?

Essas perguntas simples são importantes porque depois de responder a elas estaremos em melhor condição de passar para a próxima:

O que quero para mim neste novo momento?[3]

Você talvez tenha feito mudanças instantâneas apenas por ler as perguntas. Por exemplo, quando voltamos a atenção para a nossa respiração, ficamos conscientes de como a estamos inibindo, e enquanto permanecermos conscientes dela temos a tendência a respirar mais lentamente. A mudança acontece, se ela é necessária, quando ficamos conscientes do que somos, não quando tentamos nos tornar o que não somos.

Chamo essas perguntas de "Exercício de Enraizamento". Se fizermos isso, ou algo similar, em momentos aleatórios do dia e adquirirmos o hábito de fazê-las, podemos criar um espaço de auto-observação. Então, se estivermos saindo do caminho, temos a oportunidade de nos redirecionarmos.

Quando fiz o Exercício de Enraizamento ontem, notei que, ao fazer as perguntas, me senti insatisfeita. Percebi que estava sonhando em substituir todos os meus móveis. O que eu estava fazendo? Estava lendo uma revista de decoração e estava respirando superficialmente. Depois de responder às primeiras quatro perguntas, estava em melhor condição de responder à última. O que eu queria para mim mesma? O que eu queria para mim naquele momento era soltar o ar, colocar a revista de lado e voltar minha atenção para algo diferente; então fui nadar para mudar meu foco.

Fazer o Exercício de Enraizamento nos ajuda a nos posicionar em nossa experiência interna. As pessoas podem ser colocadas em dois grupos: aquelas cuja referência é *externa* e aquelas cuja referência é *interna*. As primeiras estão mais preocupadas com a impressão que causam nos outros: *Como estou? Com o que isto se parece?* As segundas estão mais preocupadas com o que sentem: *Gosto mais disso ou daquilo?* Pessoas cuja referência é externa querem acertar pelos outros (para que sejam aceitas ou invejadas), mas as pessoas cuja referência é interna querem acertar por si mesmas (para que se sintam confortáveis consigo mesmas).

Não estou querendo dizer que uma referência é sempre superior a outra, mas quero, sim, enfatizar a desejabilidade de aumentarmos nossa consciência de qual é a nossa referência, para que possamos descobrir como normalmente nos colocamos na balança interna–externa. Quando nos colocamos no extremo da referência externa, perdemos o senso de nós mesmos e ficamos em desequilíbrio. Quando, ao contrário, pendemos para o extremo da referência interna, talvez precisemos nos adaptar um pouco mais à sociedade para podermos fazer parte dela. Podemos nos perguntar se a maneira como administramos nossas emoções é influenciada pelo que imaginamos que as outras pessoas estão pensando de nós ou pelo que sabemos que vai nos fazer sentir confortáveis.

Vamos tomar um exemplo: duas pessoas podem estar navegando em barcos idênticos. Uma está fantasiando "Olhem para mim em meu iate fabuloso; aposto que todo mundo está me achando o máximo e me invejando", enquanto a outra está simplesmente desfrutando o domínio da habilidade da navegação, sentindo a brisa no rosto e percebendo as sensações que o mar aberto lhe provoca. Duas pessoas fazendo a mesma coisa, mas se divertindo de duas maneiras diferentes. Muitos de nós somos uma mistura dos dois, mas, quando nos sentimos frequentemente insatisfeitos com a vida, pode ser útil compreender qual é nossa referência; em troca, isso nos permitirá tentar mudar.

Uma das coisas que devemos ter em mente ao fazer o Exercício de Enraizamento é a referência interna ou externa. O objetivo do exercício é descobrir como estamos funcionando em determinado momento. Por exemplo, quando faço o exercício, avalio a tensão que estou mantendo nos ombros, dando-me a oportunidade de perceber se estou tensa, para poder relaxar se necessário.

Quando estou praticando a auto-observação, também percebo o que eu chamo de pós-racionalização, que também poderia ser chamado de autojustificação. Isso descreve a maneira que temos de "arrumar" o que está acontecendo dentro e fora de nós mesmos, normalmente surgindo com explicações convenientes que podem na verdade ser besteira, para justificar nosso comportamento.

Experimentos conduzidos pelo neuropsicólogo Roger Sperry questionaram a noção de que somos seres racionais levados por nossa razão e intelecto. Nos anos 1960, Sperry e seus colegas conduziram algumas experiências com pessoas que tiveram o tecido conectivo (chamado de corpo caloso) entre os hemisférios direito e esquerdo cortado. Isso significava que os dois lados de seus cérebros não podiam mais se conectar ou interagir.

Quando os pesquisadores disparavam o comando "ANDAR" no campo visual do cérebro direito (evitando completamente o cérebro esquerdo) o sujeito se levantava e andava conforme ordenado. Quando lhes perguntavam por que eles tinham andado, uma pergunta a que o cérebro esquerdo (responsável pela linguagem, raciocínio, rótulos e explicações) respondia, nunca diziam "porque seu sinal me mandou" ou "não sei, apenas senti uma necessidade inexplicável de fazê-lo", o que teria sido a verdade (já que a ação foi disparada por seus cérebros direitos). Ao contrário, eles invariavelmente diziam algo como: "Eu quis beber água" ou "Eu quis alongar minhas pernas". Em outras palavras, seu cérebro esquerdo racional atribuiu sentido a suas ações de uma maneira que não tinha nenhuma relação com a verdadeira razão para isso.

Refletindo sobre isso a partir de outros experimentos feitos com a separação cérebro-esquerdo, cérebro-direito[4] não temos razão para pensar que o hemisfério esquerdo do paciente está se comportando diferentemente do nosso quando damos sentido às inclinações que vêm do nosso cérebro direito. Em outras palavras, as "razões" para fazermos qualquer coisa podem ser uma *pós*-racionalização mesmo quando nosso corpo caloso não foi cortado.

Mesmo depois de o nosso cérebro esquerdo ter se desenvolvido, dando-nos a capacidade de linguagem e lógica, raciocínio e matemática, continuamos a ser governados pelo cérebro direito mamífero. Acontece que somos incapazes de tomar qualquer decisão sem as nossas emoções. O neurologista António Damásio tinha um paciente chamado Elliot que, após uma cirurgia para remoção de um tumor cerebral, ficou incapaz de sentir. Seu QI continuou excelente, mas ele não mostrava sentimentos mesmo depois de ver imagens terríveis de sofrimento humano. Poderíamos pensar que, com seu raciocínio intacto, Elliot ainda poderia decidir aonde ir almoçar ou em que investir seu dinheiro, mas ele era incapaz de tomar essas decisões. Ele podia imaginar as prováveis consequências de suas escolhas, podia ponderar calmamente as vantagens e desvantagens, mas não conseguia chegar a uma decisão. Damásio registrou suas descobertas sobre Elliot e outros pacientes como ele em seu livro *O erro de Descartes: emoção, razão e o cérebro humano*.[*] Esse livro concluiu que, ao contrário de nossas expectativas, a falta de emoção não conduz a escolhas lógicas e racionais, mas ao caos. Isso porque confiamos em nossos sentimentos para decidir nossos caminhos na vida. E isso é verdadeiro quer estejamos conscientes de nossas emoções ou não.

Para compreender melhor nossas motivações, pode ser bom passar mais tempo com nossos sentimentos, que é onde entra a auto-observação. Não seremos capazes de compreender todos os nossos sentimentos; e não deveríamos nos prender às razões que tão rapidamente apresentamos — algumas delas podem ser apenas um mecanismo para nos autoconfortar ou para justificar o que o cérebro direito já decidiu. Em vez disso podemos aumentar nossa tolerância à incerteza, alimentar nossa curiosidade e continuar a aprender. Há um perigo quando chegamos prematuramente a uma conclusão sobre algo e acabamos nos impedindo de aprender algo mais sobre isso. Não estou defendendo que devemos vacilar diante de decisões cotidianas (como o que faremos para o almoço), mas é benéfico reexaminar nossas crenças e opiniões de tempos em tempos. Como sugeriu o psicanalista Peter Lomas: "Apegue-se levemente às suas crenças." A certeza não é

---

[*] Damásio, António. *O erro de Descartes: emoção, razão e o cérebro humano*. São Paulo: Companhia das Letras, 1996.

necessariamente uma amiga da sanidade, embora normalmente seja confundida com ela.

Vivemos na assim chamada "era da razão", e, no entanto, experimentos como os de Sperry e Damásio demonstram que muitas de nossas ideias, sentimentos e ações vêm do lado direito do cérebro, enquanto o cérebro esquerdo cria as razões para essas ideias. Toda guerra pode ser apenas a representação de uma antiga disputa que aconteceu na creche e para a qual o líder em questão ainda está tentando encontrar uma solução.[5] A matança de um atirador solitário é resultado mais de sua falta de empatia pelos outros do que o resultado de sua ideologia.[6] "Ideologia" é simplesmente a razão que ele aplica a seus sentimentos — de, digamos, amargura ou ódio. Quando argumentamos veementemente contra algo, não o fazemos pelas razões que criamos, mas pelos *sentimentos* que apoiam essas razões. Podem ser razões "erradas", mas nosso sentimento nunca é o sentimento errado — nossos sentimentos simplesmente são. Um sentimento não pode ser "certo" ou "errado". Como agimos em relação aos nossos sentimentos é que é moral ou imoral. Um sentimento por si só não é mais certo ou errado que o marcador de combustível, indicando a quantidade de gasolina que ainda temos no tanque. Podemos ter vontade de acabar com alguém, mas somente a concretização desse sentimento indica uma moralidade dúbia.

Um psicoterapeuta uma vez me contou que quando estava estudando tinha certeza de que todos os seus sentimentos de raiva eram provocados pela pessoa à sua frente, mas ao aprender mais sobre a psique de modo geral, e sobre a sua em particular, ele deixou de apontar o dedo e dizer: "Você, você, você"; em vez disso, seu dedo girou em um círculo até apontar para si mesmo e dizer, muito mais

tranquilamente: "Eu, eu, eu." Como eu disse, auto-observação é o exato oposto da autoindulgência. Faz da autorresponsabilidade algo possível.

Nossa capacidade de pós-racionalização — ou o que chamo de cérebro esquerdo — significa que podemos criar razões para não nos autoanalisarmos. Portanto, se você decidir pular os exercícios de auto-observação apresentados neste livro, tente prestar mais atenção aos sentimentos que ditam esse comportamento do que às razões que você dá para ele. Você está sendo "comandado" por esses sentimentos, por isso, em vez de afastá-los com seu cérebro esquerdo, passe algum tempo explorando-os.

Um psicoterapeuta é treinado para investigar os sentimentos que estão por trás das justificativas e dos padrões fixos de comportamento e para ajudar seu cliente a percebê-los. Quando há o desejo e os meios, recomendo a psicoterapia ou a psicanálise como forma de se descobrir mais sobre nosso inconsciente e como o integramos com nosso lado lógico. No entanto, pode ser difícil encontrar o terapeuta certo, e terapia normalmente é algo bastante caro. Há outros meios e exercícios que nos ajudam a desenvolver a arte da auto-observação. Não há uma maneira correta de praticar a auto-observação porque uma solução nunca servirá a todos. Eu defendo o uso de qualquer coisa que funcione. Mas, não importa como você chegue lá, creio que ser capaz de se auto-observar é uma parte essencial de permanecer são. Assim como usar uma técnica de atenção plena como o Exercício de Enraizamento, manter regularmente um diário pode ser uma ferramenta útil para auxiliar a auto-observação.

Um estudo no qual metade dos participantes tinha um diário e metade, não, demonstrou os efeitos positivos de se redigir algo sobre si mesmo todos os dias. As pessoas que tinham diários relataram melhores estados de ânimo e menos momentos de angústia do que as que não tinham. Aqueles, no mesmo estudo, que escreviam após traumas ou perdas também relataram menos flashbacks, pesadelos e dificuldades inesperadas de memória. A escrita pode ser, em si mesma, um ato de processamento emocional, por isso pode ajudar em muitas situações de perigo, situações extremas e perda de controle. Pessoas que escrevem diários vão ao hospital com menos frequência e passam menos dias internadas do que as que não escrevem. Pesquisas mostram que a função hepática e a pressão sanguínea são melhores em pessoas que têm diários. Todos os tipos de personalidade se beneficiam com a manutenção de um diário. Fico fascinada principalmente pelo modo como ele mostrou afetar positivamente diversos aspectos do sistema imune — incluindo o crescimento de células T[7] e certas reações dos anticorpos. Estudos também mostraram que pessoas que escrevem regularmente em seus diários de "gratidão", na qual listam coisas pelas quais são gratas, relatam maior satisfação com suas vidas e seus relacionamentos.[8] No entanto, esses benefícios não são o principal motivo de eu recomendar um diário. Sou uma entusiasta dele porque é uma ferramenta útil para o desenvolvimento da auto-observação.

Algumas dicas para iniciar um diário: seja honesto e mantenha a simplicidade; ele é só para você. Tente não começar com floreios e depois reduzir o ritmo após alguns dias: seja perseverante! Você decide o que escrever. Sou fã de lembranças aleatórias, assim como do que estamos pensando e sentindo no momento de escrever.

Sonhos fascinam terapeutas porque dramatizam experiências e partes de nossas psiques que talvez não tenhamos colocado em palavras. Recomendo que você escreva seus sonhos e suas reações a eles no diário.

Se você não consegue pensar no que escrever, apenas escreva para ver o que surge. Na verdade, descobriu-se que os fluxos de consciência redigidos imediatamente após acordar são muito eficazes. Escreva à mão qualquer coisa e tudo o que vier à sua cabeça por algumas páginas.[9]

Se você reler o diário para si mesmo, poderá identificar alguns de seus hábitos comportamentais e emocionais. Por exemplo, você pode identificar quanta justificação ou raciocínio está usando, quanta compaixão mostra por si mesmo, quanto do que você escreve é fantasia?

Qualquer que seja o método que você acha que funciona melhor para você, ter um diário é uma maneira de processar seus sentimentos e se conhecer melhor.

Aprender e praticar a atenção plena é uma ferramenta-chave no desenvolvimento da auto-observação. Atenção plena melhora nossa habilidade de observar e sentir o corpo e a mente no presente e sem críticas. Há muitos nomes para essa prática: oração, meditação, prática contemplativa e neuroplasticidade autodirigida. Aprender a focar nossa atenção é também uma parte essencial da prática da consciência plena. Esse foco da atenção individual é uma prática regular de muitas culturas e religiões. Rituais aparentemente tão diferentes, como a oração cristã e a meditação sufi, são ambas formas de atenção plena, mas podemos praticá-las quer acreditemos em um deus ou não. A atenção focada estimula nossa concentração, auxilia no combate ao estresse, à ansiedade, à depressão e a comportamentos viciantes e pode ter um efeito positivo até sobre problemas físicos, como hipertensão, doenças cardíacas e dores crônicas.[10]

A prática da atenção focada tem outros benefícios. Estudos mostram que o cérebro das pessoas que meditam com regularidade ou que praticam comportamentos semelhantes mostra mudanças permanentes e benéficas. Novas vias e conexões neurais proliferam. O córtex pré-frontal, que é a parte do cérebro associada à concentração, espessa-se sensivelmente. A ínsula, a parte do cérebro que rastreia o estado interior do corpo, bem como os estados emocionais de outras pessoas, também cresce. Assim, a prática da atenção focada literalmente fortalece o cérebro e o faz crescer. Como consequência, ela nos torna mais conscientes de nós mesmos e, portanto, mais capazes de nos tranquilizar, e também significa que somos capazes de sentir mais empatia pelos outros. A prática da atenção plena ajuda a manter o cérebro flexível. Quando a usamos, tornamo-nos mais conscientes dos processos mentais sem nos deixarmos dominar por eles. Ela nos permite desenvolver a resiliência emocional sem reprimir ou negar nossos sentimentos. Você vai encontrar alguns exercícios para promover a atenção plena e a auto-observação na seção de exercícios no final deste livro.

Uma das coisas das quais nos tornamos mais conscientes quando desenvolvemos a auto-observação é o que chamo de "falatório tóxico". Nossas cabeças estão sempre repletas de falatório, de frases, imagens, mensagens repetidas, comentários contínuos sobre nossas ações e pensamentos. Boa parte pode ser inofensiva, mas alguns podem ser tóxicos: pensamentos odiosos sobre nós mesmos ou os outros; autorrepreensão não construtiva; pessimismo sem sentido. Pensamentos desse tipo podem ficar girando em círculos; eles não nos levam a lugar algum, e podem causar depressão. Auto-observação nos permite observar imparcialmente nossa tagarelice mental e nos distanciar do falatório tóxico. Dessa forma, as vias neurais que promovem a toxicidade serão menos usadas e gradualmente encolherão, enquanto aquelas que promovem a consciência e empatia crescerão.

Praticar a auto-observação pode dar a nós o mesmo tipo de atenção especial que bons pais dão a seus bebês. Como vimos anteriormente, esse espelhamento é o modo como as crianças aprendem quem são e como reconhecer, tranquilizar e controlar a si mesmas. Durante toda a nossa vida temos um desejo e uma necessidade de ser reconhecidos e compreendidos. Embora isso seja mais produtivamente alcançado em conjunto com outras pessoas, a prática contemplativa é uma maneira de podermos alcançar isso sozinhos.

Não há limite para o número de maneiras com as quais podemos desenvolver auto-observação. Podemos escolher a terapia individual com um psicoterapeuta, analista ou outro profissional, ou fazer terapia em grupo ou ser parte de uma turma de ioga. Meu maior salto na auto-observação veio durante o treinamento e a participação na Maratona de Londres. O uso de técnicas da atenção plena, como, por exemplo, meditar enquanto corro como parte de um projeto físico transformador, aumentou minha concentração, autoconfiança e autoconhecimento mais do que eu poderia ter imaginado quando comecei a treinar um ano antes da corrida.

Concluindo, a prática da auto-observação pode nos dar mais discernimento sobre as emoções que têm grande participação no nosso comportamento. Quando nos tornamos mais sensíveis a nós mesmos e mais informados sobre nossos próprios sentimentos, somos mais capazes de nos harmonizar e sentir empatia pelos sentimentos de outras pessoas. Em resumo, a atenção plena melhora nossos relacionamentos. Relacionamentos são o segundo pilar da nossa sanidade, e agora vamos olhar para seu papel e importância.

2. Relacionando-se com os outros

Um cérebro, assim como um neurônio, não é de muita utilidade sozinho. Nossos cérebros precisam de outros cérebros, ou, como dizemos mais frequentemente, pessoas precisam de pessoas. Podemos pensar em nós mesmos como um "eu" e a noção do ser isolado ocupa grande espaço em nossa civilização ocidental, mas nós somos, na realidade, criaturas de grupo, como um bando de estorninhos que parece um único corpo no céu, com cada pássaro afetando e sendo afetado pelos movimentos das aves mais próximas a ele. Nossos cérebros estão ligados e se desenvolvem no relacionamento uns com os outros.

Compreendemos que a qualidade dos relacionamentos formativos que tivemos quando bebês determina nossa posição inicial no espectro da saúde mental. No entanto, também sabemos que as outras pessoas continuam a ser nosso melhor recurso para permanecermos sãos. Qualquer relacionamento mutuamente impactante, mutuamente aberto, pode reativar processos neuroplásticos[11] e efetivamente mudar a estrutura do cérebro em qualquer fase de nossas vidas.

Vi tais mudanças recorrentemente em muitos anos de prática como psicoterapeuta. Vi clientes se tornarem mais eles mesmos, mais tranquilos e menos neuróticos. Acredito que é o *relacionamento* com o terapeuta, tanto quanto qualquer intervenção brilhante, que produz essas mudanças. Aprendi com Irvin Yalom, um psiquiatra norte-americano, que como terapeuta você precisa avaliar o modo como os clientes se sentem em relação ao relacionamento terapêutico, e se questionar sobre o que foi mais útil e o que não funcionou em uma sessão. Como uma jovem terapeuta, eu muitas vezes ficava surpresa com o fato de não ter sido um novo insight o maior catalisador da mudança, mas o momento em que o cliente viu que me tocou, quando se sentiu aceito porque toquei seu braço, ou quando viu que eu compreendia, mesmo que eu não dissesse nada no momento. Mas isso é apenas metade da questão. Meus clientes também me modificaram: me ajudaram a crescer. Em um relacionamento em que somos nós mesmos sem uma máscara social e estamos inteiramente presentes, nossos cérebros são continuamente moldados. Ver o mundo pelo ponto de vista do outro além do nosso pode permitir que os dois cresçam. Quando nos tornamos muito "rígidos em nossa forma de ser", tornamo-nos menos capazes de ser tocados, comovidos ou iluminados pelo outro e perdemos vitalidade.

Diálogo

O filósofo Martin Buber disse: "Toda vivência real é encontro." Ele compreendeu que somente nos relacionamentos podemos nos abrir inteiramente para o mundo e uns aos outros. Buber escreveu que o "diálogo genuíno", quer falado ou silencioso, ocorre quando cada um dos participantes tem realmente em vista o outro ou outros em seu "ser presente e particular e volta-se para eles com a intenção de estabelecer uma relação viva e mútua entre ele próprio e os outros". Eu acrescentaria que, para se conectar significativamente com outra pessoa, uma tem de estar aberta. Isso significa ser não o que *pensamos* que deveríamos ser, mas nos permitir ser quem realmente *somos*. Isso normalmente

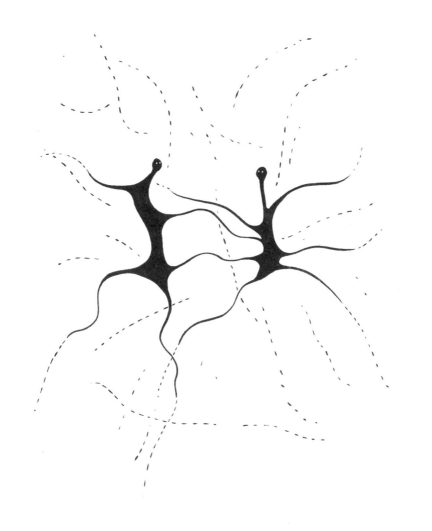

envolve se arriscar a se sentir vulnerável. Estar aberto e, portanto, vulnerável, não é garantia de que nos conectaremos com o outro, mas se não nos permitimos nos sentir vulneráveis, negamos a nós mesmos a possibilidade de experimentar um diálogo genuíno.

Buber também descreve outras duas maneiras de estar com os outros. Primeiro é o "diálogo técnico", provocado apenas pela necessidade de compreensão objetiva. Por exemplo:

— Que tipo de bateria preciso para isto?
— Bateria do tipo AAA.

Segundo, o "monólogo disfarçado de diálogo", no qual duas pessoas que pensam que estão tendo uma conversa estão, na verdade, falando consigo mesmas. Jane Austen, em *A abadia de Northanger*, capturou este processo de forma brilhante.

> [A sra. Allen] nunca se sentia satisfeita com seu dia a não ser que passasse a maior parte dele ao lado da sra. Thorpe, no que elas chamavam de conversa, mas na qual quase não havia troca de opinião, e não raramente nenhuma semelhança de assunto, pois a sra. Thorpe falava principalmente dos filhos e a sra. Allen de seus vestidos.

Mentalização

O psicanalista Peter Fonagy cunhou a palavra "mentalização". Ela significa a habilidade de compreender nossa experiência interior e, a partir daí, entender com exatidão os sentimentos da outra pessoa. Esse processo nos dá a habilidade de criar e sustentar relacionamentos saudáveis. Se tudo correr bem, nossos primeiros cuidadores fazem naturalmente esse processo de mentalização e nós o adquirimos inconscientemente deles. Esse processo é auxiliado pela auto--observação, porque, ao nos desenvolvermos e nos tornarmos mais sensíveis a nossos próprios sentimentos, também nos tornamos mais sensíveis ao que as outras pessoas estão sentindo. Isso não significa projetar nossos próprios pensamentos nos outros, mas compreender, no nível do sentimento, que o modo como eles sentem e pensam pode ser diferente do nosso.

Se acharmos as pessoas tão imprevisíveis a ponto de sermos incapazes de nos relacionar, então é provável que o processo de mentalização esteja nos decepcionando. Há tanta coisa não falada e inconsciente no processo de relação com o outro, que a única maneira de descobri-la é no relacionamento com outra pessoa. Se nossos primeiros cuidadores não conseguirem esboçar a mentalização, não a aprenderemos com eles. Mas o cérebro é plástico. Podemos aprendê-la mais tarde, com o psicoterapeuta ou em outros relacionamentos íntimos. Quando começamos a compreender como é a sensação de ser profundamente compreendido, podemos começar a entender os outros e a ter relacionamentos gratificantes.

Quando a psicoterapia começou, a ênfase era na escuta profissional do paciente e na interpretação do que ele dizia, de modo a lhe permitir insights sobre sua psique. Mas hoje compreendemos que a parte mais curativa da psicoterapia é o relacionamento em si. Aparentemente, não é relevante se o terapeuta é um analítico freudiano ou um aconselhador rogeriano,[12] ou se é de uma escola eclética ou um analista transacional ou um *coach*. O que importa é a qualidade do relacionamento e a crença que o profissional tem sobre aquilo que está oferecendo. Da mesma forma, nossa sanidade e felicidade terão mais a ver com nossos relacionamentos interpessoais do que com como está o tempo, ou em que trabalhamos ou quais são nossos hobbies. Ficamos por aí, ganhamos a vida, conquistando coisas e fazendo alarde de tudo isso (ou não), mas o que mais nos afeta são as pessoas à nossa volta: nossos pais, nossos filhos, nossos amantes, nossos colegas, nossos vizinhos e nossos amigos. Como diz o psicoterapeuta Louis Cozolino: "Desde o nascimento até a morte, todos nós precisamos de outros que nos procurem, que mostrem interesse em descobrir quem somos e que nos ajudem a nos sentir seguros." Um consultor em traumas faz uma descrição um pouco mais dura: "Todo mundo deveria caminhar por um pronto-socorro pelo menos uma vez na vida. Porque isso nos faz perceber quais são as nossas prioridades. Não é o corre-corre nem o dinheiro; são as pessoas que amamos e o fato de que num minuto elas podem estar aqui e no outro podem ter partido."[13]

Estar ligado a outras pessoas é a parte vital — o vital — de se permanecer são.

Como ter bons relacionamentos

Este é um manual prático e neste momento eu preferiria que não fosse, porque assim que começarmos a discorrer sobre como ter relacionamentos, corremos o risco de transmitir a coisa errada. Isso acontece porque, se tentarmos manipular um relacionamento, corre-

mos o risco de tratar o outro como uma "coisa" em vez de um igual; de ver o outro como um objeto a ser conduzido em vez de outro sujeito a encontrar. Também não podemos estabelecer uma regra simples: "ter empatia" — já que a empatia é apenas parte de um processo, não um conjunto rígido de comportamentos.

Minha amiga Astrid tinha uma regra que aplicava aos relacionamentos. Quando elaborava sobre como se sentia em relação a alguém, dizia, por exemplo, "... E ele não fez sequer uma pergunta sobre mim" — como se com isso ela estivesse buscando provar algo. Mas, como venho de um tipo de família diferente, não entendi muito bem o que ela estava dizendo. Ela me explicou que em sua cultura era educado fazer perguntas quando você conhece uma pessoa nova. Se a outra pessoa não retribui a atitude nem demonstra curiosidade por você, supõe-se que ela é egoísta e que só se interessa por si mesma. Achei que, além de isso soar como uma pós-racionalização para o fato de Astrid não conseguir se envolver com ninguém, esse modo de ver o mundo não levou em consideração a regra da "polidez negativa", que é uma parte implícita dos rituais de minha cultura. Aqui vai uma generalização grosseira: existem basicamente dois tipos de cultura. Em países superpovoados, como o Japão e a Grã-Bretanha, nossa tendência é ter uma "polidez negativa".[14] Isso significa que as pessoas estão conscientes da necessidade de privacidade do outro e de seu desejo de não ser invadido. Em países onde há mais espaço, como os Estados Unidos, as pessoas são mais propensas a praticar a "polidez positiva", em que a ênfase está na inclusão e abertura. A antropóloga Kate Fox diz que o que parece frieza em uma cultura de polidez negativa é, na realidade, uma espécie de consideração pela privacidade do outro. Portanto, para cada regra abrangente sobre como se relacionar, sempre haverá outra que a contradiga. Você pode *agir* de maneira atenciosa em relação a alguém, mas, se não tiver absorvido as regras da família de origem ou da cultura dessa pessoa, pode entendê-la de forma errada.

Nossos códigos de boas maneiras diferem de família para família e de cultura para cultura. Boas maneiras são uma tentativa social de regular o modo como tratamos uns aos outros. Se as seguirmos rigidamente, podemos nos transformar em pessoas "excessivamente encantadoras", e os outros talvez duvidem de nossa sinceridade. Se formos francos demais, podemos parecer excessivamente sinceros de uma forma que pode parecer aceitável, por exemplo, na América, mas não na Grã-Bretanha. É difícil formular diretrizes sobre os sentimentos das outras pessoas, porque eles variam muito de cultura para cultura, de família para família, de pessoa para pessoa e de momento para momento. Ou somos bons em perceber os sentimentos das pessoas, nos sintonizando com elas, ou não somos. A maneira de aprender a estar com alguém é estando com ele; e se não pudermos chegar a esse ponto, estamos um pouco travados. Ao tentar agradar um grupo de pessoas podemos acabar ofendendo outro. Perguntar às pessoas o que estamos fazendo de errado ou nos deixará chateados (quando obtivermos a resposta) ou só nos dirá o que estamos fazendo de errado *do ponto de vista dela* — e, de qualquer maneira, talvez não sejamos nós os "errados". Aderir a diretrizes rígidas sobre como nos comportar com os outros é uma forma de rigidez. Não estar consciente de seu impacto sobre os outros é uma forma de caos. O que buscamos é o meio do caminho, que pode ser definido como "flexibilidade". Ela permite que reajamos aos outros com sintonia. Essa flexibilidade é algo que podemos ter como meta, mas que não devemos esperar alcançar em todos os encontros. No entanto, se acharmos que construir um relacionamento é realmente difícil, talvez precisemos investir em um especialista em relacionamentos, um psicoterapeuta ou outro profissional da saúde mental.

Com muita frequência, iniciamos um relacionamento ou encontro com outra pessoa com conversas superficiais sobre o tempo ou praticando o tipo de ritual que o analista transacional, Eric Berne, identificou nos anos 1960 como "jogos". Nos países desenvolvidos, por exemplo, os homens podem fazer um jogo de competição sobre quem tem o melhor carro: "Você tem o X5 M? Ah não, ele não tem potência suficiente. Você tem que ter o X6 M que eu tenho." As mulheres de tais culturas, por outro lado, frequentemente competem na autodepreciação: "Você gostou mesmo deste vestido? Mas ele é tão velho... comprei em um bazar de caridade dez anos atrás." Esse jogo poderia se chamar de "O meu é menor do que o seu".

Para mim, conversas superficiais e "jogos" como esses podem, às vezes, ser muito mais apropriados que os "papos profundos", especialmente antes de eu ter formado um laço com outra pessoa. Uma vez eu participei de um curso sobre aconselhamento no qual os alunos eram encorajados a abandonar seus rituais e jogos confortáveis e expressar os sentimentos que havia por trás deles. Achei difícil, porque me sinto pouco à vontade com esse tipo de conversa "real" que envolve dizer coisas como: "Percebi que tenho sentimentos de inveja em relação a você antes mesmo de ter tirado o meu casaco." No entanto, algumas pessoas preferem essa forma de relacionamento ao bate-papo preliminar. Lembro-me de ter dito aos meus colegas de curso: "Alguém quer café?" Todos recusaram e me pediram para refazer minha pergunta de modo que ela refletisse meus verdadeiros sentimentos. Então precisei sentir e pensar e saí com a seguinte frase: "Eu quero café e gostaria que vocês me acompanhassem." Depois de tentar, percebi que realmente gostei desse processo de transformar uma pergunta ritualizada em afirmação, e ainda tento fazer isso quando me lembro. Embora seja mais arriscado (fazer uma afirmação sobre mim mesma em vez de fazer uma pergunta me deixa mais vulnerável), acredito que fazer um convite dessa maneira me dá mais chance de me conectar com os outros. No entanto, dizer ao velho grupo de ex-alunos "Eu quero um café e gostaria que vocês me acompanhassem" tornou-se tão ritualizado que agora já não é diferente de dizer "Alguém quer um café?". Se você tentar trazer sentido a cada palavra, isso se torna exaustivo demais (para mim, pelo menos, é) e, uma vez que a expressão significativa seja repetida, ela também se torna como um ritual, assim como as conversas sobre o tempo se tornaram ritualizadas. Ser verdadeiro e aberto é uma forma de fazer conexões reais com os outros, porém conexões são estabelecidas de outras maneiras além de simplesmente palavras significativas, e eu nunca descartaria a importância dos papos superficiais. Precisamos criar laços e preparar o caminho para as "conversas profundas". É o equivalente ao catar piolho dos macacos[15] ou ficar se cheirando dos cachorros, e nós precisamos disso. (Eu na verdade não me imagino fazendo o que os cachorros fazem nem quero catar as suas pulgas, então vou continuar tentando descobrir o que você está achando do tempo...)

Em seu livro *Watching the English* (Observando os ingleses), a antropóloga Kate Fox observou as regras que existem para se falar do tempo, e já que este é um manual prático, vou compartilhar uma delas com vocês. A questão é que, quando eu lhe digo que tem chovido muito ultimamente, o que realmente quero saber não é se você sabe quantos milímetros de chuva caíram, mas se você é uma pessoa agradável. É mais provável que eu forme uma opinião favorável sobre você caso concorde comigo. É a lei da reciprocidade. Comentários sobre o tempo vêm na forma de perguntas não porque nos preocupamos com o clima, mas porque queremos uma resposta. Você talvez não esteja particularmente interessado no tempo, mas isso não significa que não esteja interessado no relacionamento com a pessoa com quem está falando. Não importa que as palavras que usamos nesse "o-dia-está-bonito,-não-está?" sejam vazias. Essas trocas não têm a ver com o que dizemos, mas com o modo como percebemos um ao outro ao dizê-lo.

Infelizmente, quer sejamos adeptos dessas regras ou não, frequentemente tropeçamos ao tentar construir um relacionamento e às vezes impedimos nós mesmos de tê-lo. Há muitas maneiras engenhosas nas quais involuntariamente limitamos nosso contato com os outros e assim nos privamos de sua influência potencialmente benéfica sobre nós. Às vezes presumimos que estamos num relacionamento com outra pessoa quando, na verdade, esse relacionamento existe basicamente em nossa cabeça porque estamos inconscientemente interpretando mal aquela pessoa. Isso pode acontecer de várias maneiras:

- Podemos nos projetar no outro, de modo que, em vez de ter um relacionamento "Eu-Você", temos um relacionamento "Eu-Eu": "Ela vai reagir exatamente como eu reajo."
- Podemos fazer do outro um objeto e ter relacionamentos "Eu-Coisa": "Se eu usar as seguintes palavras, ela pensará em mim desse modo."

- Podemos também confundir as fronteiras entre a pessoa do presente com pessoas que conhecemos anteriormente, e transferir nossa experiência com essas pessoas do passado para a pessoa do presente, e então eu tenho relacionamentos "Eu-Fastasma": "Se eu fizer isso, as outras pessoas vão sempre reagir assim."

Tendemos a confiar nas pessoas a partir de nossos condicionamentos e experiências do passado. Por exemplo, teremos crenças sobre o quanto uma pessoa é confiável. Algumas pessoas aprendem a não confiar em ninguém e isso faz com que elas levem vidas solitárias e normalmente isoladas, que restringem a possibilidade da plena saúde mental. Por outro lado, há pessoas que confiam demais e que, portanto, se tornam demasiadamente vulneráveis. A confiança é apenas um exemplo. Em maior ou menor grau, todos nós enxergamos as pessoas pela lente das nossas experiências passadas, e precisamos fazer isso. Por exemplo, não é apropriado pedir ao motorista do ônibus que nos mostre sua carteira de habilitação; temos de confiar que ele sabe o que está fazendo. A chave, no entanto, é estarmos conscientes dos padrões que seguimos quando descrevemos as pessoas, e aprender a nos prender às nossas visões de forma leve e ficar mais abertos para conhecer a pessoa à nossa frente.

Um grupo de pessoas com quem sempre acho que aprendo muito são as crianças, pois elas podem nos oferecer uma visão inocente sobre o mundo e uma perspectiva nova. Um colegial, ao conversar comigo recentemente, disse que para ele a sanidade não tem a ver com o quanto uma pessoa é bem informada ou o quanto ela é "realista". Ele conhece algumas pessoas muito inteligentes com títulos altíssimos e doutorados, com grandes quantidades de fatos na ponta dos dedos, mas, no entanto, as considera pouco sãs porque não conseguem se relacionar com os outros. Ele também conhece algumas pessoas que acreditam em coisas que ele pessoalmente acha estranhas (como Deus ou homeopatia) e que, embora considere suas crenças irrealistas, as classifica como mais sãs do que alguns membros do grupo anterior. Ele acha que isso se deve ao fato de sanidade ter mais a ver com franqueza e honestidade emocional que com lógica hermética.

A Leitura da Temperatura Diária

Eis um exercício que pode ajudá-lo a trazer mais honestidade emocional a seus relacionamentos. Criado pela terapeuta familiar Virginia Satir, tem como objetivo melhorar seus relacionamentos atuais. Você vai precisar persuadir sua família, amigos ou colegas de trabalho a fazer este exercício com você. Ele se chama Leitura da Temperatura Diária porque mede a temperatura de um determinado relacionamento no aqui e agora. Há uma crença de que o verdadeiro amor, as grandes amizades e os bons relacionamentos profissionais acontecem naturalmente. Em geral é assim mesmo, mas este exercício pode ajudar no processo. Ele oferece uma maneira de confiar em outras pessoas, e a confiança é um elemento essencial em todos os tipos de relacionamentos.

Primeiramente, reserve meia hora na qual você não será interrompido. Desligue telefones, computadores e televisões. Se forem duas pessoas, sentem-se uma de frente para a outra. Se for um grupo, sentem-se de forma a que todos se vejam uns aos outros. Por um ou dois minutos, observem como vocês se sentem sobre si mesmos e sobre o parceiro ou o grupo. Como na agenda de uma reunião, você tem uma lista de cinco tópicos a percorrer. Tente não desviar para assuntos diferentes. Os tópicos são: i) Apreciações; *ii)* Novas informações; *iii)* Perguntas; *iv)* Queixas com recomendações para mudanças; *v)* Desejos, esperanças e sonhos.

Apreciações

Revezem-se partilhando o que apreciam uns nos outros. Sejam específicos e precisos. Assim, em vez de dizer "Eu adoro estar com você", sejam específicos em relação ao que vocês adoram. Por exemplo: "Adoro que você me telefone ao meio-dia para saber como estou. Sinto-me cuidada." Quando receberem uma apreciação, não argumentem, nem a rebatam, nem digam algo como "Oh, e você também", porque isso afastará seu impacto. Nunca coloque um "mas" em uma apreciação, nem tentem inserir uma reclamação, dizendo "Eu gostaria muito que você...". Reservem esta seção para partilhar apenas o que vocês apreciam no outro. Vocês podem fazer quantas rodadas quiserem.

Novas informações

Esta seção é sobre partilhar acontecimentos de suas vidas e também sobre ser sincero a respeito de seus estados de ânimo, sentimentos e pensamentos, e sobre o que os está afetando. É importante manter uns aos outros atualizados sobre o que está acontecendo. Esta seção é para partilhar informações objetivas, como, por exemplo, "Amanhã vou ao dentista", e subjetivas, como "Quando perdi um dente ontem, me senti tão melancólico; foi como o começo da velhice. Depois me senti mais esperançoso quando me dei conta de que ainda me resta algum tempo". O importante é dizer o que está em primeiro plano para vocês e serem verdadeiros, mesmo que não tenham compreendido o que estão sentindo e pensando. Não tem a ver apenas com manter os outros informados de novos fatos, mas também mantê-los atualizados sobre como você está trabalhando as coisas e que significados está fazendo ou tentando fazer. Se houver tempo e lhes parecer apropriado, podem dizer um ao outro o que sentiram ao ouvir as informações ou podem reconhecer isso com um "obrigado" ou com um movimento de cabeça. Se tiverem alguma observação a fazer, não definam a outra pessoa fazendo afirmações sobre ela. Podem dizer: "Notei que você disse que fica triste quando...", mas não "Você sempre fica triste quando...". Façam afirmações usando "Eu", e não "Você".

Perguntas

Que suposições você está fazendo sobre seus parceiros ou sobre as outras pessoas do grupo? Este é o momento de examiná-las. Por exemplo, você pode dizer: "A porta bateu quando você saiu da sala ontem. Você estava bravo ou foi o vento que a bateu?" Quando trabalho com casais, frequentemente percebo que muitos problemas surgem porque as pessoas não examinam suas próprias suposições. Examinar nossas suposições e verificá-las com nosso parceiro nos assegura de que temos um relacionamento com a pessoa, e não com uma fantasia sobre ela, ou evita que você caia no relacionamento "Eu-Eu", que mencionei anteriormente. Esta seção é uma oportunidade para examinar suas suposições e fazer qualquer tipo de pergunta. Podem ser tão corriqueiras quanto "A que horas vamos sair amanhã?" ou tão pertinentes quanto "Senti você abatido e distante esta semana. Está acontecendo alguma coisa?". Fazer perguntas não significa que vocês terão respostas, embora talvez tenham. É importante ser paciente com o outro e ter boa vontade. Sua pergunta fornece informação para o outro ou para os outros, assim como é uma pergunta por direito próprio. Não há obrigação de se responder a uma pergunta. Se quiserem, podem simplesmente agradecer ao outro pela pergunta, sem responder a ela.

Queixas com recomendações para mudanças

Reclamações ou preocupações deveriam ser expressas somente quando em conjunto com uma sugestão sobre como se deveria lidar com essa reclamação ou preocupação. Sem atacar, culpar, xingar, bancar a vítima, interpretar ou criticar, descreva o comportamento que lhe causa preocupação e como você se sente a respeito dela (e não o que pensam). Depois diga o que gostaria que fosse feito de forma diferente. Quando receber uma reclamação, tente apenas ouvir. Não se defenda. Você não precisa mudar seu comportamento, embora talvez opte por fazê-lo. Não são as diferenças que trazem problemas ao relacionamento, mas como lidamos com essas diferenças.

Devido ao nosso background e nossos condicionamentos, podemos reagir defensivamente ao ouvir uma reclamação. Quando a reação à preocupação ou reclamação do outro exacerba a situação, a probabilidade que um relacionamento funcione plenamente diminui. Talvez ajude lembrar quando receberem uma reclamação apenas nominalmente sobre vocês; na realidade é informação sobre a pessoa que está fazendo a reclamação. Quando somos capazes de resolver receios e reclamações, podemos nos tornar mais próximos por meio do enfrentamento bem-sucedido do desafio que representam. Quando alguém que amamos divide uma preocupação, é vital desenvolver o hábito de ouvir com empatia e desejo de compreender. Um exemplo poderia ser: "Quando você chega do trabalho e imediatamente começa a relatar o seu dia, minha sequência de pensamentos é interrompida; eu me esqueço do que estava fazendo e me sinto oprimida. Gostaria que você primeiro verificasse o que estou fazendo e me deixasse finalizar, ou marcar o lugar onde estou e até onde cheguei. Depois disso eu realmente gostaria de escutar sobre o seu dia." O outro talvez reaja assim: "Nunca percebi, obrigado por me dizer. Simplesmente levante as mãos para dizer pare, caso eu esteja oprimindo você novamente." Outras reclamações podem ser mais difíceis de ser ouvidas, como: "Estou cansado de ser a única pessoa nesta casa a colocar o lixo para fora. Quero que você faça isso, para variar." Essa reclamação é expressa em um tom de mártir. Teria sido melhor verbalizá-la da seguinte maneira: "Ontem à noite, quando levei o lixo para fora, tive a sensação de que sou a única pessoa a se lembrar de fazer isso. Você poderia fazê-lo da próxima vez?" Você mesmo poderia estar a ponto de fazer a mesma reclamação, porque sente que é você quem sempre fica com a tarefa. Lembre-se de que a reclamação tem a ver com a pessoa que a está fazendo. A melhor maneira de responder é: "Entendi que você sente que sempre leva o lixo para fora e que você gostaria de mudar isso. Obrigado por me dizer." O melhor é não discutir durante esse exercício. Quando fizerem a próxima Leitura da Temperatura Diária, na seção de perguntas vocês talvez digam: "Parece que nós dois sentimos que estamos fazendo mais tarefas do que o justo. Talvez precisemos organizar um sistema ou arranjar uma faxineira. O que você acha?". Lembre-se de que a ideia não é brigar, e um bom relacionamento não tem a ver com quem está certo e quem está errado. Tem a ver com encontrarem juntos uma maneira de seguir em frente. Uma intervenção comum que psicoterapeutas fazem quando trabalham com casais é dizendo: "Vocês podem escolher entre estar certos ou estar juntos." Como disse antes, tenham isso em mente caso se sintam injustiçados: a acusação tem a ver com o modo como a outra pessoa se sente e ela não se sentirá melhor se também se sentir errada.

Desejos, esperanças e sonhos

Algumas pessoas se apegam à crença de que contar aos outros o que você realmente quer trará má sorte ao sonho. Pela minha experiência, o oposto é normalmente o que acontece. Defendo que se compartilhe os desejos, as esperanças e os sonhos para obter o apoio e estímulo de que precisamos para realizá-los. Antes de uma corrida, o atleta visualiza como vai saltar cada obstáculo e cruzar a linha de chegada. Ele talvez não ganhe em consequência do exercício de visualização, mas se dá uma melhor chance de fazê-lo — assim como você ao compartilhar suas esperanças com os outros. Compartilhar nossas esperanças mais profundas pode nos tornar vulneráveis, então apoie seu parceiro nesse empreendimento, em vez de desafiá-lo. Compartilhar nossas vulnerabilidades aumenta a intimidade e aprofunda as conexões entre nós.

A Leitura da Temperatura Diária pode ser importante para casais, famílias, equipes de trabalho e outros. Para lhe dar uma oportunidade, faça-o, digamos, a cada dois dias durante um mês para os casais e semanalmente, por dois meses, para os grupos de trabalho. Depois avalie que diferença ele fez em suas vidas.

Pense nesses cinco modos de comunicação — apreciar, informar, questionar, reclamar, recomendar, e partilhar seus desejos, suas esperanças e seus sonhos — e como você os usa fora da Leitura da Temperatura Diária, em suas trocas diárias. Você usa um modo com mais frequência que os outros? Se sim, considere usar um modo que não lhe seja tão familiar visando ampliar a extensão de sua comunicação. Pense nessas cinco categorias, assim como também em justaposição com as descrições dos tipos de comunicação de Martin Buber: "diálogo genuíno", "diálogo técnico" e "monólogo disfarçado de diálogo". Podemos assumir como alvo tornar nossa comunicação mais eficaz.

Lidando com dificuldades: estudos de caso

Solidão e desapontamentos em relacionamentos podem ser mitigados se ficarmos atentos às maneiras como agimos e damos passos para nos sentirmos e nos comportarmos de maneira diferente. Os dois casos de estudo seguintes demonstram como devemos empreender este projeto.

Zara

Zara era caótica em seus relacionamentos. Era incapaz de se sentir segura e costumava sabotar seus relacionamentos românticos logo no início, expressando seus sentimentos em vez de primeiramente observá-los para se dar a chance de escolher como agir. Ela tinha 28 anos e queria encontrar alguém com quem pudesse passar o resto da vida. Usando a auto-observação, ela notou certo padrão em seus relacionamentos e registrou-o em seu diário.

1. Escolhia alguém bonito ou carismático.
2. Ia para a cama com ele na primeira oportunidade.
3. Após o sexo, sentia-se "apaixonada" por ele.
4. Mostrava-se carente e telefonava em excesso.
5. O relacionamento acabava, geralmente alguns meses depois.
6. Ela ficava de coração partido.

Era esse o buraco, o hábito, o padrão — como você o queira chamar — em que Zara estava.

Ela tomou uma decisão e definiu algumas diretrizes para si mesma. Quando surgisse o próximo homem, ela: *a*) não iria para a cama com ele até que estabelecessem um relacionamento; *b*) não mostraria carência, *mesmo que se sentisse carente*.

Após algum tempo, nas aulas noturnas, Zara conheceu um homem que parecia interessado em se tornar seu amigo. Ela não presumiu que teriam um relacionamento romântico, mas eles gostavam de estar juntos e se encontravam para beber alguma coisa uma ou duas vezes por semana. Isso continuou por seis meses. Então saíram de férias juntos, como amigos, e voltaram como amantes. Zara sentiu que a carência crescia dentro dela. Queria saber o que ele estava fazendo e onde estava a cada segundo do dia. Será que ele estava pensando nela? Mas, em vez de agir no impulso, ela exorcizava este sentimento, em certa medida, simplesmente escrevendo em seu diário. Esse "não sufocamento" do outro parece ter sido uma boa medida, pois o relacionamento continuou a se aprofundar. Eles se casaram, e hoje, décadas depois, ainda estão juntos e felizes.

Portanto, embora eu seja cautelosa quanto a regras, tenho de admitir que no exemplo de Zara elas realmente colocaram sua vida num curso mais feliz. Ao usar a auto-observação, você talvez descubra padrões caóticos em seu relacionamento e decida estabelecer alguma regra, como Zara fez, usando-a como uma tala temporária até que uma forma intermediária mais permanente e flexível seja encontrada.

Sam

Em vez de regras, Sam precisava de mais flexibilidade em sua vida. Ele tinha regras como "nunca falar sobre o tempo" ou nem mesmo fazer a pergunta genérica "Tudo bem?". Sam considerava essas perguntas de introdução sem sentido e descartava qualquer um que as usasse. Suas regras o tornaram uma pessoa de difícil convívio e resultou em uma existência solitária com pouco contato com o mundo exterior. Ele encontrava algum conforto na ideia de que era superior ao resto da população, mas o sentir-se superior não substitui o companheirismo e a diferença positiva que os amigos fazem na vida. Sam se tornou solitário e deprimido. Quando a depressão tornou-se insuportável, ele procurou seu médico, que o encaminhou a um terapeuta, Simon.

Depois de aprender a confiar em Simon, o que levou um ano de sessões semanais (as vias neurais podem levar tempo para se alterar), Sam pôde perceber como ele tinha estabelecido seu próprio livro de regras e como muitas dessas regras estavam desatualizadas. Com o apoio de Simon, Sam experimentou mudar e se permitiu mais contato com outras pessoas. Não se envolveu em nenhum relacionamento amoroso nem se tornou arroz de festa, mas permitiu que algumas pessoas entrassem em sua vida. Está menos solitário, menos rígido e já não está tão deprimido.

Filósofos se fazem a pergunta: "Se uma árvore cair na floresta mas ninguém a ouvir, terá ela, de fato, produzido algum som?" Pergunto-me se o que eles estão realmente se questionando não seja: "Existiríamos se ninguém testemunhasse a nossa existência?" Talvez precisemos perguntar isso porque sem outra alma, ou almas, com quem manter contato, com quem passar o tempo, ser afetado por ela e afetá-la, parte de nós parece diminuir. Sentimo-nos realmente menos humanos e temos maior probabilidade de perder a sanidade sem os contatos e desafios de outras pessoas de boa vontade à nossa volta. O confinamento solitário é uma das punições mais brutais e estressantes que infligimos a nossos companheiros humanos. Se quisermos permanecer sãos, não devemos infligi-la a nós mesmos.

3. Estresse

Aprendizagem

Quando melhoramos nossa autoconsciência e priorizamos relacionamentos benéficos, damo-nos uma boa chance de nos agarrar à nossa sanidade. Nossos cérebros nunca param de se desenvolver e temos algumas possibilidades de escolhas sobre como se desenvolvem. O terceiro pilar da sanidade está ligado ao modo como mantemos nossos cérebros — e portanto nós mesmos — em forma.

Altos níveis de estresse resultam em pânico ou em dissociação cerebral. Dissociação é uma desconexão entre nossos pensamentos, sensações, sentimentos e ações — experimentada como uma espécie de branco. Portanto, altos níveis de estresse devem ser evitados. No entanto, a ausência total de estresse faz com que o cérebro não se exercite. O cérebro não é diferente de um músculo, ao qual se aplica o clichê "use-o ou perca-o". Níveis moderados de estresse mantêm nossa mente condicionada e nos ajudam a permanecermos sãos. Esse "estresse bom" aciona os hormônios neurais do crescimento que sustentam o aprendizado. O estresse bom, ao contrário daquele que causa dissociação, pode ser vivenciado como agradável; pode nos motivar ou nos deixar curiosos. Mais importante ainda, ele estimula a plasticidade neural, que é o motivo pelo qual ele me empolga.

Em psicoterapia, normalmente o que meu cliente e eu buscamos é uma posição na qual ele seja capaz de tolerar seus sentimentos. A isso nós, psicoterapeutas, chamamos de "regulação da emoção" — um processo de inibir ansiedade e medo para permitir que o processamento continue diante da emoção forte. Para trabalhar nesse nível, não podemos estar confortáveis demais, pois nesse caso o novo aprendizado não ocorre; mas também não podemos estar desconfortáveis demais, porque aí estaríamos na zona na qual a dissociação ou o pânico assume o controle. O trabalho produtivo ocorre na fronteira do conforto. Alguns psicoterapeutas referem-se a este lugar como "a extremidade do crescimento", "expansão da zona de conforto" ou "uma zona de estresse bom". A zona do estresse bom é onde nossos cérebros são capazes de se adaptar, se reconfigurar e crescer. Pense no cérebro como um músculo e pense em oportunidades para flexioná-lo. Quanto mais o flexionamos, melhor nosso cérebro funciona.

Quanto mais rico e estimulante é o nosso ambiente, mais encorajados nos sentimos a aprender novas habilidades e a expandir nosso conhecimento. Tal aprendizado parece ter o lado benéfico de estimular nosso sistema imunológico. Alguns estudos com animais mostram que um ambiente intelectualmente estimulante pode compensar os efeitos danosos do envenenamento por chumbo. Dois grupos de ratos receberam água contaminada com chumbo. Um grupo foi colocado em um ambiente estimulante e o outro, não. O professor Jay Schneider, que conduziu o experimento, afirmou ter ficado surpreso com a magnitude do efeito protetor de um ambiente educativamente estimulante sobre a capacidade de os ratos resistirem ao veneno. Lamento informar que os ratos no ambiente menos

estimulante não se saíram tão bem. O mesmo acontece comigo. Quando viajo para um novo lugar no feriado, sinto-me renovada por ter sido estimulada por novas paisagens, novos cheiros, ambientes e novas culturas. Esse é um exemplo de estresse bom. Gosto de imaginar que posso senti-lo me fazendo bem, e a experiência com os ratos sugere que isso talvez aconteça mesmo.

Atividade física

Para permanecermos sãos, precisamos aumentar o estresse bom que é gerado não apenas por meio de mais atividades intelectuais, mas também por meio de atividades físicas. O cérebro precisa de oxigênio, e quanto mais oxigênio ele recebe, melhor funciona. Dois estudos demonstraram isso claramente. No primeiro, dois grupos de idosos sedentários foram testados em quatro áreas: memória, funcionamento executivo, concentração e velocidade com a qual conseguiam realizar vários tipos de atividades físicas, de colocar linha numa agulha a caminhar sobre uma linha. Durante os quatro meses seguintes, os integrantes do primeiro grupo caminharam vinte minutos por dia; os integrantes do segundo grupo se mantiveram como sempre. Então foram testados novamente. O grupo 1 mostrou melhorias significativas nos processos mentais mais elevados da memória e das funções executivas que envolvem aprendizagem, planejamento, organização e desenvolvimento de tarefas múltiplas. A implicação é de que o exercício pode ser capaz de compensar alguns dos declínios mentais que frequentemente associamos ao processo de envelhecimento. O segundo estudo foi feito com pacientes com diagnóstico de transtorno depressivo grave. O primeiro grupo recebeu apenas medicação, o segundo, apenas exercício, e o terceiro, uma associação de medicamentos e exercícios. Os resultados mostraram que o exercício é tão útil quanto a medicação no combate à depressão, já que todos os três grupos mostraram melhorias estatisticamente significativas e idênticas em avaliações-padrão de depressão.

Quando estamos considerando embarcar em uma nova atividade (seja dança de salão, meditação ou outras novas aventuras), normalmente nos sentimos indecisos. No entanto, se *decidimos* passar por cima dessa parte de nós relutante a mudanças (em vez de simplesmente *tentar* passar por cima), e nos comprometemos de qualquer maneira a um novo regime, damos a nós mesmos a chance de sentir a diferença que o novo regime acarreta em nós. Se não estivermos nos sentindo mais estimulados, mais interconectados, mais vivos, não terá havido nenhum prejuízo e poderemos largá-lo. Iniciar um novo hábito significa sentir o impulso de permanecer da sua maneira de ser atual e, ainda assim, começar o novo regime: pode parecer uma tortura. Normalmente começamos enviando mensagens a nós mesmos — como "esse não sou eu" — como desculpa, mas mesmo assim decidimos insistir no estabelecimento de um novo hábito.

O estudo da freira

Em seu livro *Aging with grace* (Envelhecendo com graça), David Snowden descreve seu estudo das freiras a longo prazo. Ele empreendeu o estudo para observar a longevidade e as incidências de demência. Também estava interessado nas associações entre a saúde cerebral das freiras e fatores como inteligência e dieta. Seus objetos de estudo ofereciam uma oportunidade ideal para estudar o efeito da educação em vidas longas e funcionais, porque as circunstâncias de vida das freiras, em termos de exercícios, dieta, rotina e situação financeira, eram semelhantes, portanto fazendo com que a educação tivesse uma diferença mensurável entre elas.

Nesse estudo, o dr. Snowden notou que, enquanto algumas freiras tinham se deteriorado mentalmente a ponto de já não poder viver com independência ou se alimentar sozinhas, outras da mesma idade ou mais velhas ainda trabalhavam em tempo integral. Ele descobriu que as freiras que tinham formação universitária tinham vidas significativamente mais longas, independentes e funcionais do que as que haviam interrompido os estudos mais cedo. E quanto mais elas continuavam a estudar, ou iniciar e manter novos interesses, mais vivazes suas mentes pareciam permanecer.

Em parceria com outro pesquisador, Jim Mortimer, Snowden também estudou a "reserva cerebral". Eles sugeriram que, quando usado ativamente na socialização e aprendizagem durante toda a vida, o cérebro constrói mais conexões neurais do que um cérebro menos estimulado. Assim sendo, no caso anterior, quando uma parte do cérebro é prejudicada pelo Alzheimer, a via não é necessariamente interrompida de forma permanente, mas pode encontrar uma nova rota ao redor do emaranhado ou placa causados pelo Alzheimer. Snowden e Mortimer também descobriram que algumas freiras que não apresentaram sinais de Alzheimer quando estavam vivas apresentaram danos significativos na autópsia, enquanto outras que pareciam claramente ter a doença quando vivas apresentaram menos sinais dela na autópsia. Snowden e Mortimer ainda não chegaram a conclusões definitivas sobre o papel da curiosidade e aprendizagem constantes na construção da reserva cerebral, mas evidências circunstanciais sugerem uma conexão.

O estresse bom mantém nosso cérebro plástico. Um cérebro plástico pode se adaptar, permanecer flexível e conectado à comunidade e enfrentar as inevitáveis mudanças que a vida traz. O estresse bom nos motiva, despertando a curiosidade, provocando entusiasmo e alimentando nossa criatividade.

O hormônio dopamina é um neurotransmissor essencial no reforço positivo. Podemos estimular sua produção de formas saudáveis e não saudáveis. A forma de estímulo por dopamina é aprender algo novo, e a excitação que vem com ela — seja aprendendo um novo instrumento musical, acertando na preparação de uma nova receita, lançando uma bola na cesta ou aprendendo a contar uma piada engraçada. A produção de dopamina também é estimulada por substâncias ou atividades viciantes, como o jogo de azar. Isso é um abuso da dopamina, e ao usá-la desta forma podemos sobrecarregar nossos sistemas, causando problemas de saúde e emocionais.

Se formos, por exemplo, pesquisadores universitários aplicados, podemos achar que já estamos fazendo o suficiente em termos de aprendizagem. É verdade que nossas vias neurais para a pesquisa estarão bem desenvolvidas; mas aprender a dançar tango, a preparar um tajine ou falar italiano nos fornecerá o estresse bom que produz mais reserva cerebral. No entanto, precisamos de certas condições para o desenvolvimento do cérebro. Precisamos fazer algo que seja genuinamente novo para nós, e temos de prestar muita atenção, estar emocionalmente engajados e perseverar nisso. Novas vias se formarão se duas ou mais dessas condições forem seguidas, mas idealmente seguiremos todas as quatro de uma só vez.

Menos desafiadoras, mas também úteis, são as atividades solo, às vezes chamadas de jogos de "treinamento cerebral" — por exemplo, palavras cruzadas, caça palavras e jogos de cartas como paciência — que parecem ser de valor limitado como habilidades transferíveis. Por exemplo, quando aprendemos e praticamos o Sudoku, melhoramos no jogo em si, mas ele tem valor limitado que podemos integrar no resto de nossas vidas. Na verdade, como viciada que sou em Sudoku e outros jogos numéricos, permita-me fazer uma advertência sobre os jogos "cerebrais". Notei que, ao jogar Bridge ou Scrabble no computador, ou Sudoku por uma hora a cada vez, meu lado emocional fica isolado. Como forma de autoentorpecimento, diria que os jogos numéricos e de letras podem competir com drogas de classe A no que diz respeito a desligar nossos sentimentos. A sensação que tenho é de que a dose de dopamina que recebo com eles tem um quesito mais viciante que de aprendizado.

Se você também é um viciado em jogos, observe a diferença no modo como se sente quando, em vez de jogar, lê um livro. Pode parecer que exija mais esforço, especialmente no início do desenvolvimento de um novo hábito. Um romance ou um livro sobre filosofia usará os dois lados do cérebro: você terá sentimentos sobre o que está lendo e sua mente será mais exercitada porque fará conexões entre o que está aprendendo e o que já reconhece.

Quando converso sobre os benefícios da aprendizagem, as pessoas às vezes me confidenciam que o que as impede de se dedicar ao aprendizado de algo é a vergonha por ainda não o saberem. Susan Jeffers sabiamente diz: "Sinta o medo e aja mesmo assim." Eu digo: "Sinta a vergonha e aprenda algo mesmo assim." Ninguém gosta de se sentir vulnerável,[16] mas, a menos que aprendamos a tolerar alguma vulnerabilidade emocional, estaremos comprometendo nosso crescimento, e se não crescemos, encolhemos — e se não fizermos isso, estaremos pondo em risco nossa sanidade.

Recentemente conversei com um biólogo sobre os benefícios do hábito de aprender. Ele me perguntou se eu era destra ou canhota. Eu disse destra. Ele me disse que minhas chances de me recuperar completamente de um derrame seriam maiores se eu fosse canhota, porque as pessoas canhotas já têm mais conexões neurais do que as destras. E acrescentou que, se eu começasse a escovar os dentes ou manusear o mouse com a mão esquerda, eu começaria a construir "reservas cerebrais". Se no futuro eu sofresse um derrame, estaria em melhores condições de me recuperar dele.

Seja o que for que comecemos a fazer — desde escovar os dentes com a mão esquerda a aprender um novo idioma —, criaremos novas conexões neurais, o que pode originar maior criatividade e novas ideias. Uma nova ideia foi comparada a um animal arisco do mato. Para atrair o animal arisco das sombras para uma clareira, você não deve assustá-lo. Deixe-lhe alguma comida e ele virá para a clareira, onde você poderá vê-lo melhor. Se você o tratar bem, ele não saltará de volta para a floresta.[17]

Ideias raramente vêm do nada. Estimulamos nossos cérebros a ter ideias quando aprendemos coisas novas ou quando ensaiamos as coisas que estamos aprendendo. Eu dei um curso de cinco dias, para estudantes e professores de arte, sobre os processos psicológicos da criatividade. Houve um consenso geral de que as ideias vêm não quando ficamos parados, esperando que a inspiração surja, mas quando trabalhamos: experimentando, lendo, aprendendo e fazendo.

Estilos de aprendizagem

Existem diversos estilos de aprendizagem. Alguns de nós aprendem mais quando leem, enquanto outros preferem aprender a partir de diagramas, vídeos e demonstrações. Aprendizes auditivos preferem aprender ouvindo aulas, discutindo coisas e ouvindo o que outros têm a dizer, obtendo informações extras a partir do tom e das nuanças. Também há os aprendizes sinestésicos, que aprendem se movimentando, fazendo e tocando, preferindo uma abordagem prática, explorando ativamente o mundo físico. Portanto, se sempre nos consideramos pessoas que não aprendem com facilidade, talvez seja porque ainda não encontramos o estilo de aprendizagem que nos é mais adequado; e como o cérebro é plástico, podemos desenvolver novos estilos de aprendizagem com a prática. Quanto mais aprendemos, mais ideias criativas podemos ter ao juntar nossas áreas de conhecimento. Não saberíamos como a física e o paraquedismo se associam a menos que conhecêssemos um pouco sobre ambos. Portanto, quanto mais sabemos, mais podemos criar.[18]

Deixei a escola aos 15 anos e levei alguns anos para voltar e apreciar a aprendizagem. Em meus 20 e poucos anos, eu tinha um emprego administrativo repetitivo. Eu sabia que me sentia subestimulada. O tédio me levou a participar de uma noite de recrutamento em uma escola técnica. Matriculei-me em cursos básicos de psicologia e inglês e fiz novos amigos nessas turmas. Lembro-me de ir à casa de uma amiga pela primeira vez e ficar empolgada com seu entusiasmo. Ela disse: "Não estou mais entediada; pego-me pensando nas diferentes motivações dos personagens de *Noite de reis*."

É isso que a aprendizagem faz. Ela nos dá mais coisas em que pensar, por isso temos menos tempo para ficar entediados, deprimidos e subestimulados. Ela parte do conhecimento que já temos e o expande. Leva-nos a fazer mais conexões ligando mais vias neurais. E também conecta nossos cérebros aos de outras pessoas.

No ano seguinte, eu fiz arte e história. Continuei a estudar esses temas através de leituras adicionais e, no caso da arte e psicologia, fiz novos cursos e me formei. Dos cursos que fiz só obtive coisas boas. Em um ano eu fiz dois cursos noturnos, um sobre apreciação de filmes e outro sobre escrita criativa. Em um aprendi que não gosto de ouvir pessoas discutindo enredos de filmes, enquanto no outro eu me saí muito melhor. Nesse curso conheci meu marido. A aprendizagem de novos temas não apenas produz novas conexões em nossos cérebros, como também em nossas vidas.

Exercício da zona de conforto

Pegue uma folha grande de papel e desenhe um círculo no meio. Dentro dele, escreva exemplos de atividades nas quais você se sente completamente confortável. Fora desse círculo, escreva exemplos de atividades que você pode fazer, mas que exigem um pouquinho mais de você — aquelas atividades que o deixam de alguma forma nervoso, mas não o bastante para o impedir de fazê-las. Desenhe um círculo ao redor dessas atividades. Na próxima faixa, escreva as atividades que você gostaria de fazer, mas acha difícil reunir coragem para fazê-las. Depois disso, coloque as coisas de que você tem medo demais até para tentar, mas que gostaria de fazer. Você pode fazer quantos círculos quiser.

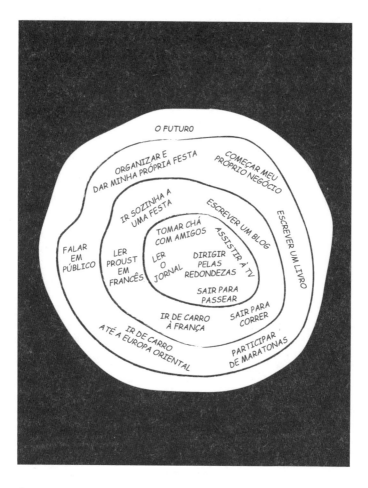

É útil refletir sobre as coisas com as quais estamos confortáveis e aquelas com as quais não estamos, e então tentar expandir nossa área de conforto. Devemos lembrar que aquilo que tentamos é para nós mesmos. Não importa o que os outros possam pensar. A ideia é expandir nossa zona de conforto a passos curtos. Passamos do "estresse bom" ao "estresse ruim" quando tentamos dar saltos bem grandes de uma faixa a outra. Quando comecei a ampliar meu círculo interior de modo a incluir gradualmente as outras zonas, eu me senti mais confiante em relação aos desafios dentro da zona interior original. Também descobri que, quando eu estabelecia para mim mesma um desafio realizável e o cumpria, minha autoestima e autoconfiança aumentavam em todas as áreas. O maior salto que dei foi quando passei da incapacidade de correr 100 metros à conclusão da Maratona de Londres. Tenho certeza de que foi isso que me deu a confiança para enviar meu livro *Couch fiction* [Ficção de sofá] depois da primeira rodada de rejeições. Ele foi finalmente publicado em maio de 2010. Também descobri que, se eu não continuasse testando meus limites, minha zona de conforto voltava ao tamanho original. Desafios que pareciam confortáveis em um ano passavam a exigir coragem no ano seguinte. Não quero entrar nessa posição novamente; portanto, para o alto e avante.

4. Qual é a história?

Incluí esta seção sobre histórias porque uma parte de toda terapia bem-sucedida tem a ver com o reescrever as narrativas que nos definem, criando novos significados e imaginando finais diferentes. Da mesma forma, uma parte do permanecer são é conhecer qual é a nossa história e reescrevê-la quando necessário.

As usuais respostas emocionais, cognitivas e físicas que damos ao mundo — isto é, nossos padrões típicos para lidar com situações recorrentes — virão de nossas próprias histórias. Nosso modo de estar no mundo também virá de histórias que lemos e que nos são contadas, de filmes, séries de TV, notícias; podem ser histórias de família, ou parábolas e metáforas, textos bíblicos e contos de fada. Nós inventamos histórias, lemos histórias, ouvimos histórias. Nossas vidas entrelaçam essas histórias e respondem a elas.

Nossas mentes são formadas por narrativas. Evoluímos usando histórias e narrativas que são coconstruídas. Conforme nossos primeiros cuidadores nos transcreviam nossas sensações, sentimentos e ações em palavras, nossas narrativas tomaram forma. Usávamos essas narrativas para integrar nossa experiência em significados coerentes. As crianças e suas figuras parentais narram juntas suas experiências e, ao fazê-lo, organizam suas lembranças e as colocam em um contexto social. Isso ajuda a conectar sentimentos, ações e outras coisas ao eu. Essas narrativas coconstruídas[19] são centrais a todos os grupos humanos — de uma família no mundo ocidental aos caçadores-coletores do Deserto do Kalahari. A coconstrução da história tem consequências negativas e positivas. O lado ruim é que o cuidador pode influenciar indevidamente a criança com seus próprios medos e ansiedades, preconceitos e padrões restritivos de existência; mas o lado bom é que a coformação da narrativa ensina meios de memorização, assim como transmite valores positivos, cultura de grupo e identidade individual. Uma criança não apenas coconstrói a narrativa de sua vida com os cuidadores, mas idealmente ouve muitas outras histórias também. Podemos pensar que isso é principalmente apenas para entretenimento e para criar vínculos, mas as histórias repetidas também ajudam a formar estruturas na mente da criança para a solução de problemas, para a criação de significados, para o otimismo e o autoconforto. Bruxas más recebem o castigo merecido, os conflitos são resolvidos e nós aprendemos o conceito do "viver feliz para sempre".

Da mesma forma que histórias são importantes na formação da personalidade, também são significativas na evolução de nossa espécie e na criação de cultura. Antes da invenção da escrita, histórias, sagas e lendas eram passadas de geração a geração na forma de rituais e tradições orais que continham tanto educação quanto as bases da sabedoria. Assim como uma nova aprendizagem forja novas vias neurais para o que já sabemos, uma nova história acrescenta ao nosso estoque existente. A aparição de certos temas ao longo das culturas e tempos — morte e ressurreição, por exemplo — testemunha sua importância. Tais histórias são usadas para transmitir identidade de grupo, sabedoria e experiência para que as próximas gerações também possam construir sobre elas, assim como lhes oferece meios de se autoconfortar, enfrentar e lidar com a morte.

Histórias podem inconscientemente nos influenciar a agir de uma forma ou outra, mas também nos permitem pensar sobre nós mesmos de uma maneira objetiva. Quando um cliente em terapia apresenta um problema, o terapeuta, com frequência, pede que ele imagine que o problema pertence a um amigo e, se esse fosse o caso, como aconselharia aquele amigo. O uso da contação de histórias nos ajuda a ganhar alguma distância de nós mesmos e nos dá perspectiva. Também podemos usar as histórias para escapar para dentro de nossas imaginações quando não há escape na realidade. As crianças frequentemente criam mundos imaginários nos quais elas possam ter êxito e triunfar. Embora suas escolhas possam ser limitadas na vida real, elas usam a imaginação e a contação de histórias para se confortar no que de outro modo seria intolerável no presente. As crianças não são as únicas que podem fazer isso. Em seu livro *Em busca de sentido*, Viktor Frankl explicou que, quando vivia em meio ao sofrimento, às atrocidades e ao aprisionamento em Auschwitz e outros campos de concentração, criou um lugar de liberdade em sua mente e imaginação. A esse ato de desafio e esperança ele atribui sua sobrevivência.

O maravilhoso de uma história é que ela é flexível. Podemos passar de uma história que não nos ajuda a outra que nos ajude. Se o roteiro pelo qual vivemos no passado não funciona mais para nós, não precisamos aceitá-lo como nosso roteiro do futuro. Por exemplo, a crença de que não somos dignos de ser amados e de pertencer é apenas isso, uma crença. Essa crença, essa história que contamos a nós mesmos, pode ser editada. O efeito de tal edição pode ser mais positivo para uma mudança de vida do que ganhar na loteria. Pesquisas já mostraram que depois de ganhar na loteria, as pessoas demoram cerca de três meses para voltar ao estado mental que tinham antes de ganhar. Assim, se eram normalmente otimistas e alegres, é para onde retornam; e se eram autodepreciativas e misantrópicas, também serão depois de terem ganhado. Muito dinheiro não muda nossa vida emocional. A maneira como falamos para e sobre nós mesmos e a maneira com a qual editamos nossas próprias histórias pode e muda.

Criar uma autonarrativa consistente que faça sentido e pareça verdadeira a nós é um desafio em qualquer estágio da vida. Nossas histórias dão forma às nossas incipientes, discrepantes e fugazes impressões da vida cotidiana. Elas unem passado e futuro no presente para nos prover estruturas a fim de buscarmos nossos objetivos. Elas nos dão um senso de identidade e, mais importante, servem para integrar os sentimentos de nosso cérebro direito com a linguagem de nosso cérebro esquerdo.

Sophie era uma mulher de 50 anos que veio me procurar. Ela interpretava sua história de vida para que significasse que estava acabada e ultrapassada, porque "o mundo pertencia aos jovens". Isso me preocupou porque pessoas que interpretam os acontecimentos de modo pessimista têm maior probabilidade de ficar deprimidas, doentes e vivem menos que os que encontram sentidos positivos. Trabalhamos juntas com a afirmação dela, sem discutir se era verdadeira ou falsa, mas observando como ela a fazia se sentir e se outro sentido, ou sentidos, não seriam mais úteis. Sophie tinha acabado de se formar em belas-artes e estava tendo dificuldade para encontrar lugares onde mostrar seu trabalho. Contei-lhe uma história (é mais um mito – nem mesmo sei se esta história é verdadeira) sobre um vendedor de telemarketing que dava outro sentido à rejeição. Toda vez que recebia um não de um possível comprador, ficava feliz, porque ele o colocava mais perto de sua próxima venda. Ele havia calculado que sua taxa de acertos era de um a cada cinquenta telefonemas, por isso, quando chegava a quarenta nãos, começava a ficar empolgado porque sabia que a venda viria em breve. Isso o tornava mais confiante. Ele se saiu muito bem e ganhou o prêmio de vendedor do ano. Sophie riu da história, mas a guardou consigo, e ela lhe deu confiança para contar às pessoas que realmente queria ser selecionada em uma residência artística. Quando a residência apareceu em seu caminho, ela me disse: "Não chegou nem perto das cinquenta pessoas. Foi algo em torno de 17. A história em minha cabeça me manteve entusiasmada quando eu falava sobre meu trabalho e o que eu tinha a oferecer." Ao contar sua história de uma maneira diferente, Sophie a mudou e isso, por sua vez, mudou o modo como ela parecia para os outros.

Estamos preparados para usar histórias. Parte de nossa sobrevivência como espécie dependia de ouvir as histórias de nossos anciães tribais ao partilharem parábolas e transmitirem as experiências e sabedoria daqueles que partiram antes. Conforme envelhecemos, é nossa memória de curto prazo que vai embora, não a de longo prazo. Talvez tenhamos evoluído dessa forma para que fôssemos capazes de contar à geração mais nova sobre as histórias e experiências que nos formaram, que talvez sejam importantes para gerações subsequentes se quiserem prosperar.

Preocupo-me, no entanto, com o que poderia acontecer às nossas mentes se a maioria das histórias que ouvimos for sobre ganância, guerras e atrocidades. Por essa razão, recomendo que não assistamos à televisão em excesso. Pesquisas mostram que pessoas que assistem à televisão por mais de quatro horas por dia acreditam que têm maior chance de se envolver em um acidente violento na semana seguinte do que pessoas que assistem à televisão por menos de duas horas por dia.[20] Não só há uma sucessão de filmes hollywoodianos em que os "mocinhos" ganham recorrendo à violência em vez de ao diálogo, mas até mesmo as notícias parecem ser filtradas segundo o valor do máximo choque emocional, o que significa que tendem mais às más notícias do que às boas. Cuidado com as histórias às quais você se expõe. Não estou dizendo que não é importante estar informado sobre o que está acontecendo, mas ser repetidamente informado sobre más notícias não nos dará uma visão equilibrada nem do nosso mundo nem das outras pessoas que o habitam. Em contraste com essa torrente de más notícias, penso ser importante buscar histórias otimistas e fomentar o otimismo dentro de nós.

Vou tentar convencê-lo de que o otimismo é uma boa ideia.

- Alguns estudos mostram que o pessimismo no início da vida adulta parece ser um fator de risco para menos saúde física e mental no futuro.[21]
- O otimismo parece estar relacionado à boa saúde física e mental.
- Pessoas otimistas se recuperam mais rapidamente de cirurgias e têm taxas de sobrevivência mais altas após o câncer. (Elas têm maior probabilidade de seguir as ordens médicas e, assim, auxiliam a recuperação.)

- O otimismo faz bem para o humor, e com isso diminui o estresse.
- O otimismo está associado à longevidade, enquanto o pessimismo está associado a uma menor expectativa de vida.[22]
- Os otimistas tendem a confiar mais nos outros e, portanto, desfrutam de relacionamentos mais satisfatórios.
- Os pessimistas se acham mais inteligentes que os otimistas, mas na realidade não o são.[23]

Se eu entrar em uma festa com a cabeça erguida, em uma atitude otimista de que todo mundo está feliz em me ver ou que gostaria de me conhecer (e eu de conhecê-los), meus olhos se encontrarão com os de outra pessoa, mesmo que até então todos no ambiente me sejam desconhecidos. Farei perguntas sobre elas e elas talvez façam perguntas sobre mim. Provavelmente encontraremos algo em comum e, como um bônus, poderei talvez aprender algo com elas. Porém, mais do que isso, me darei a chance de formar o que parece ser uma conexão. Isso pode durar apenas uns poucos minutos, ou pode ser o início de uma longa amizade, mas nessa conexão eu me sinto profundamente alimentada.

Se, ao contrário, eu entrar em uma festa olhando para o chão, achando que ninguém estará interessado em me conhecer, nem eu interessada em alguém, não serei notada por ninguém e não aproveitarei a festa. Eu estarei pensando em maneiras de sair de lá. Não estarei totalmente presente na festa. Em vez disso, estarei presente apenas com meus preconceitos; estarei projetando uma fantasia, ou uma experiência do passado, no presente, e me relacionarei com isso em vez de com o que está acontecendo à minha volta.

A festa é a vida. Às vezes, confesso, entro na festa em um estado mais próximo ao segundo cenário do que ao primeiro e às vezes, apesar disso, alguém é suficientemente generoso para fazer um esforço e me entrosar. Parte da história que conto a mim mesma é que, se estou para baixo, outras pessoas farão com que eu me sinta melhor.

O que apresentei aqui, mesmo no meu parágrafo confessional, é otimismo. Quer o otimismo seja estabelecido em consequência das coisas boas que acontecem ou, inversamente, se as coisas boas acontecem porque são visualizadas, esperadas, buscadas e obtidas, não sei dizer. Mas os significados que você encontra e as histórias que você ouve terão impacto no quanto você é otimista: é como evoluímos.

O que aconteceria se nós nunca ouvíssemos histórias positivas? Como seu cérebro teria sido afetado se você nunca tivesse ouvido uma história que terminasse com "e foram felizes para sempre"? Se você não sabe tirar algo de positivo ao que acontece na vida, as vias neurais de que você precisa para apreciar boas notícias nunca serão acionadas. Aqui vai uma história. Uma assistente social que trabalha com crianças que necessitam de proteção social estava trabalhando com uma família de três irmãos, com 6, 8 e 12 anos de idade. Tudo o que eles tinham conhecido, durante toda a vida, era seu lar inseguro, instituições sociais e famílias de acolhimento. Sua última família estava funcionando extraordinariamente bem. As crianças tinham sido acolhidas por um casal, Brianna e Simon, que tinham empatia por elas e lhes dava alguma estabilidade. Ouviam o que as crianças diziam, tinham facilidade para interpretar seus sentimentos e conseguiam dar-lhes apoio e amor. Minha amiga passou algum tempo com todos eles e escreveu seu relatório recomendando que o arranjo continuasse. As crianças estavam ansiosas sobre o significado de sua visita, por isso, ao contrário dos procedimentos de praxe, ela lhes contou o que tinha escrito em seu relatório. Ela disse: "Vocês não serão separados. Vocês vão ficar com Brianna e Simon. Vamos encontrar escolas locais para todos vocês e, como Brianna e Simon querem adotá-los, vamos dar início ao processo." As crianças ficaram em silêncio e pareciam aturdidas, então minha amiga perguntou: "O que foi que eu acabei de dizer?" Cada criança disse: "Seremos separados, não vamos poder ficar com Brianna e Simon, não há escolas para nós e ninguém vai nos adotar." Minha amiga então repetiu a notícia, e mais uma vez eles não conseguiram ouvi-la. Ela tentou de novo e então a criança mais nova começou a chorar. "Por que você está chorando, Lara?", ela perguntou. E Lara respondeu: "Acho que é porque estou muito feliz." Finalmente todas compreenderam, mas acharam difícil assimilar.

O problema é que, se não temos uma mente *acostumada* a ouvir boas notícias, não temos as vias neurais para processá-las. Se estivermos nessa situação, provavelmente não estaremos conscientes dela, porque a questão não é que ouvimos boas notícias e não acreditamos nela. É como se não conseguíssemos ouvir as boas notícias como sendo boas notícias.

Com que facilidade você absorve as boas notícias? Quando algo bom lhe acontece, você sente algum tipo de medo? Você se consola perversamente dizendo a si mesmo que isso não vai durar? Se este for o caso e se você começar a direcionar sua mente a se abrir para maneiras de pensar mais otimistas, você provavelmente experimentaria um monte de conversa mental mandando-o parar. Observe a conversa mental, espere-a e não permita que ela o desencoraje. Precisamos nos colocar no sentido de ouvir as boas notícias. Inicie o hábito de buscar o positivo em qualquer situação, por mais terrível que seja. A princípio parecerá artificial. Normalmente temos a impressão de que os novos comportamentos são falsos porque são desconhecidos; mas não são mais falsos do que sempre presumir que nada de bom jamais acontecerá.

Não é fácil simplesmente acionar o otimismo. Exigirá mais do que decidir que o otimismo parece uma boa ideia. É preciso prática e boas pessoas ao nosso redor. Você precisará continuar com seus exercícios de atenção plena de modo a produzir as vias neurais que possam direcionar a mente. Você talvez perceba que está contando a si mesmo a história de que praticar o otimismo é um risco, como se de alguma forma a atitude positiva atraísse o desastre, e então se você praticar o otimismo ele talvez aumente sua sensação de vulnerabilidade. O truque é aumentar sua tolerância para sentimentos de vulnerabilidade em vez de evitá-los completamente.

Se praticarmos mais otimismo, os desastres ainda assim ocorrerão — mas prevê-los não os fará mais toleráveis nem os afastará.

Antigamente, quando saíamos para passar os fins de semana fora, eu ficava um tanto melancólica durante os últimos trinta minutos da viagem de volta. Costumava imaginar que nossa casa tinha sido assaltada. Imaginava-me telefonando para a polícia, colocando um tapume na janela quebrada, ligando para a companhia de seguros. Quando abria a porta, ao chegar, ficava encantada e aliviada por isso não ter acontecido. Quando comecei a praticar a atenção plena e me dei conta das fantasias que eu estava tendo e com que histórias eu estava me alimentando, decidi me concentrar em outras coisas sempre que a fantasia me ocorria, e com isso aprendi a minimizar o hábito. Quando consegui controlar esse tema pessimista, notei que passei a aproveitar mais não só os últimos trinta minutos da viagem de volta, mas também todo o fim de semana. Somente depois de mudar a história percebi que minha fantasia tinha funcionado como uma nuvem sobre todo o meu fim de semana. Às vezes só percebemos que estávamos vivendo debaixo de uma nuvem quando ela se levanta.

Otimismo não significa felicidade constante, olhos vidrados e um sorriso sempre no rosto. Quando falo que o otimismo é desejável, não estou dizendo que deveríamos nos iludir sobre a realidade. Mas praticar o otimismo significa, sim, se concentrar no lado mais positivo de um acontecimento, em vez de no negativo. Não significa negar que você está triste, digamos, por um relacionamento não ter dado certo, mas reconhecer que você agora está em condição de ter um relacionamento mais bem-sucedido no futuro. Não estou defendendo o tipo de otimismo que significa você apostar todas as suas economias em um cavalo de corrida com chance de cem contra um; estou falando em ser suficientemente otimista para plantar algumas sementes na esperança de que algumas delas germinem e se transformem em flores.

A história do macaco

Os desertos dos Estados Unidos são lugares solitários; pode-se passar quilômetros sem que se veja uma casa ou um carro. Em um desses lugares ermos, um motorista ouviu seu pneu furar. Ficou mais aborrecido do que preocupado, porque sabia que tinha um estepe e um macaco no porta-malas. Então se lembrou: tinha tirado o macaco do carro na semana anterior e se esquecido de recolocá-lo no lugar. Ele não tinha macaco. Mas as coisas podiam ser piores, pois ele tinha passado por uma oficina a cerca de 4,5 quilômetros. Quando começou a caminhar, falou consigo mesmo: "Não há nenhuma outra oficina por aqui. Estou à mercê do mecânico. Ele pode realmente me levar as calças só para me emprestar um macaco. Pode cobrar o que quiser. Pode cobrar cinquenta dólares. Não há nada que eu possa fazer a respeito. Droga, ele pode me cobrar até 150 dólares. As pessoas são terríveis em tirar vantagem umas das outras. Droga, as pessoas são umas sacanas." Continuou distraidamente dizendo essa história a si mesmo até que chegou à oficina. O atendente saiu e perguntou, amigavelmente: "Posso ajudá-lo?"; e o viajante disse: "Fica com a droga do seu macaco e enfia naquele lugar!"[24]

Podemos não estar conscientes das histórias que nos contamos regularmente nem de seu efeito sobre nós. Agimos a partir de fantasias como se elas fossem realidades. E quando visualizamos uma coisa, ela pode acontecer, porque é isso que estamos procurando, quer estejamos conscientes de nossas fantasias quer não. Todos nós já ouvimos falar de pessoas que realmente gostariam de ter um parceiro para toda a vida, mas dizem a si mesmas que não conseguem confiar em possíveis parceiros. Agem em relação ao potencial parceiro como se ele ou ela não fosse confiável e ficam testando-o. *Será que eles ficariam comigo se eu fosse desagradável o tempo todo?* Elas não têm a intenção de fazer isso; mas fazem por causa da história que contam a si mesmas sobre como os outros são. As profecias autorrealizáveis são apenas isso: se tornam realidade.

Boa parte das histórias que contamos a nós mesmos remete às dinâmicas de nossa família de origem. Ficamos presos em uma história como o homem sem macaco e sua crença de que as pessoas se aproveitam umas das outras. Portanto, precisamos estar conscientes de nós mesmos. Que histórias contamos a nós mesmos sobre as pessoas? Em que dinâmica nossas histórias nos colocam, e como elas determinam os significados que atribuímos às coisas e como as definimos? Todos nós gostamos de pensar que temos a mente aberta e que podemos mudar de opinião à luz de novas evidências, mas a maioria de nós parece propensa a rapidamente se decidir. Assim, processamos outras evidências não com uma mente aberta, mas com um filtro, vendo apenas as evidências que sustentam nossas impressões originais. É muito fácil cairmos na armadilha de acreditar que estar certo é mais importante do que permanecer aberto ao que poderia ser.

Se praticarmos distanciamento de nossos pensamentos, aprendemos a observá-los como se tivéssemos uma visão panorâmica de nosso próprio pensamento. Quando fazemos isso, podemos achar que nosso pensamento pertence a uma história mais antiga, diferente da que estamos vivendo agora. Por exemplo, odiamos ser alguém como Martin.

Martin sempre precisa de um inimigo. Em toda história que conta, estão presentes ele e um "cara mau" de algum tipo. Se você ouvir apenas uma de suas histórias, talvez pense: "Que bom que Martin está enfrentando esta injustiça, seja ela um prefeito corrupto, uma causa política, um cliente que não paga ou outro patife qualquer." Mas então você começa a perceber que toda história fala dele próprio, o herói das cruzadas, contra um "malvado". Os enredos de suas histórias são complexos e envolvem o acúmulo de evidências no lado de Martin. Acumulam-se por meio de um filtro, porque uma vez que Martin tenha se decidido, ele procura as evidências que sustentam sua posição e não enxerga mais nada. No extremo oposto ao dos "malvados" estão os "bonzinhos": se você cair nas graças de Martin, jamais cometerá um erro — o juízo que ele fará de você será sempre positivo. Logo que você o conhece, talvez não perceba nada de errado, mas após algum tempo talvez observe os mesmos padrões recorrentes. É como se a dinâmica já estivesse em sua cabeça e as pessoas à sua volta apenas cumprissem os papéis que ele disponibiliza. Assim, Martin reencena a dinâmica de sua infância o tempo todo. Tendemos a fazer o mesmo.

Por isso é importante que compreendamos nosso passado. Contemplação, psicoterapia ou um exercício como o genograma (o qual descreverei com mais detalhes à frente) pode nos ajudar a fazer isso. Nossa dinâmica também está amarrada às histórias que contamos, aos contos que ouvimos e às nossas fantasias. Tudo isso contribui para os significados que criamos e que moldam nosso comportamento.

Uma dinâmica como a de Martin é geralmente formada por suas experiências da infância. Talvez um de seus pais, ou mesmo os dois, tivesse a mesma dinâmica e, portanto, o mesmo filtro por meio do qual enxergava o mundo. Ou talvez Martin tenha vivenciado uma grande injustiça. Por exemplo, não acreditarem nele quando estava falando a verdade ou ser punido quando era inocente. Essas mágoas supuram no inconsciente como: "Eu estava certo; eles estavam errados." De fato, "eles" estavam *tão* errados que Martin precisa continuar a encontrá-los e *provar* que estão errados. Precisa se sentir certo e ser visto como certo repetidas vezes. Então procura os inimigos e infratores que necessita para regular suas próprias emoções e assim se sentir bem. Precisa de um inimigo que esteja "errado" para que possa se sentir "certo". Se ele se agarrar inquestionavelmente à sua dinâmica, não se desenvolverá ou aprenderá, e os fantasmas e as histórias do seu passado o impedirão de ter contato verdadeiro com as pessoas do presente. Ele comprometerá todos os seus relacionamentos.

Há várias outras dinâmicas tipicamente passadas de gerações anteriores ou estabelecidas por adaptações da infância a um ambiente no qual o indivíduo já não habita. Exemplo disso é nossa atitude em relação ao dinheiro: podemos estar buscando dinheiro à custa de nossos relacionamentos ou acreditar que temos menos ou mais do que efetivamente temos. O dinheiro é frequentemente uma metáfora para quão seguros nos sentimos em nossos relacionamentos. Por exemplo: se não conseguimos encarar nosso medo de perder o amor, deslocamos esse medo reiterando razões para ser sovina com nosso dinheiro.

E também há as nossas atitudes em relação aos lugares. Se estamos sempre nos mudando, sempre insatisfeitos com esta cidade ou aquela casa, este país ou aquele continente, e inventamos razões brilhantes para o fato de precisarmos mudar novamente, a resposta provavelmente esteja em nossa psique, e não na geografia ou nos modos dos moradores.

Eu poderia apresentar inúmeros exemplos para mostrar padrões arraigados de pensamento, reação e ação, para ilustrar como usamos a razão para nos impedir de descobrir mais sobre nossos sentimentos. Precisamos observar as histórias que repetidamente contamos a nós mesmos sobre outras pessoas — para o *processo* das histórias em vez de apenas seu conteúdo superficial. Depois podemos começar a experimentar mudar o filtro pelo qual enxergamos o mundo, editar a história e, assim, recuperar a flexibilidade onde estamos ficando presos.

Em minha própria terapia individual, trouxe à tona muitas dessas histórias e consegui rastrear as origens de algumas delas. Ao explorar meus padrões de atuação em grupos, usei um exercício chamado genograma. Um genograma é uma elaborada árvore genealógica que não apenas rastreia linhagens de sangue, mas linhagens de comportamento, relacionamento, traços de caráter e atitudes. Ao observar meu genograma, vi que tanto meu pai como minha mãe vêm de famílias grandes. Então surgiu algo que eu nunca tinha notado e que ficou óbvio no momento em que estava no papel à minha frente: meu pai e minha mãe tinham um irmão de quem pareciam ser menos próximos do que dos outros irmãos. Ambos também idolatravam um de seus próprios pais.

Também observei a maneira como me comportava em situações de grupo. Em um treinamento em psicoterapia, você normalmente pertence a muitos grupos; seu grupo principal e diferentes grupos para diferentes módulos do treinamento. Notei que eu sempre idealizava um membro de cada grupo e me sentia contrariada ou desdenhosa em relação a outro. Foi uma revelação para mim que esse padrão se repetisse em todos os meus grupos, e me dei conta, ao trabalhar em meu genograma, de que eu tinha um padrão de comportamento nessas situações de grupo que talvez estivesse inculcado no passado, em vez de ser uma resposta minha à dada situação no presente.

Uma vez que descobri isso, tive mais escolha sobre como agir. Em vez de permitir que esse comportamento continuasse automaticamente, resolvi observar os impulsos que tinha para admirar uma pessoa e demonizar outra. Se eu me visse demonizando uma pessoa, focava no que havia de positivo nela. Ao fazer isso, substituía meu filtro negativo por um positivo. Às vezes é necessário dar uma guinada no sentido contrário por algum tempo para poder encontrar sua verdadeira trajetória.

O próximo grupo em que entrei era uma entrevista para um novo emprego. Eu tinha me candidatado para meu primeiro emprego como terapeuta em um centro para dependentes de drogas e álcool no qual eu teria de conduzir grupos terapêuticos. A entrevistadora me perguntou qual era o meu estilo de grupo.

Falei sobre como eu normalmente agia em situações de grupo e tinha como certo que aquilo me custaria o emprego. No entanto, eu o consegui. Eu disse a eles que estava surpresa, considerando que havia revelado meu hábito de ter preferências e demonizar nos grupos. A supervisora me disse que, como eu estava *consciente* de meu impulso, ela tinha confiança de que eu não o faria e por isso me consideravam uma líder de grupo segura. Depois que me demonstraram essa confiança,[25] não me entreguei a meu favoritismo e demonização, muito embora ainda sentisse o impulso. Consegui fazer isso porque tinha aprendido a impedir e a observar meus instintos, em vez de segui-los irrefletidamente. Dessa forma, mudei a história de como ajo nos grupos.

Como disse anteriormente, às vezes um novo comportamento parece falso ou irreal, mas é apenas desconhecido. Pela minha experiência, o que "parece" verdadeiro pode não ser a verdade ou bom para nós; pode ser apenas o conhecido. E, contrariamente, o que parece "falso" talvez não o seja; talvez seja apenas novo. Às vezes ainda sinto o persuasivo impulso de demonizar e idolatrar membros de um grupo, e, quando me rendo, é temporariamente satisfatório. É preciso força de vontade e prática para estar consciente de que sinto o impulso; é mais confortável ignorá-lo. Mas, aos poucos, resistir a esses impulsos também começa a fazer parte da minha natureza. Posso me libertar de uma antiga dinâmica. Posso abandonar as vias neurais que estabeleci nos relacionamentos de minha infância, e forjar novas vias sobre um novo território que serve a mim, às pessoas à minha volta e, possivelmente, ao mundo, e de forma vantajosa. Embora sempre corramos o risco de retornar a antigos padrões insatisfatórios, especialmente em momentos de estresse, o novo comportamento também pode se tornar automático e perder sua sensação de "falsidade".

Todos nós viemos de uma mãe e de um pai, ou de um banco de sêmen, e cada um de nós foi criado por nossos pais ou por substitutos. Muitos de nós temos irmãos, tios e tias, primos. Todas essas pessoas têm um impacto sobre quem somos, assim como seus ancestrais. Esses ancestrais também tiveram problemas e vitórias, e qualquer aprendizado ou hábito que receberam dessas experiências eles tendem a passar adiante. É fácil perceber o cabelo ruivo ou o tom da pele como características herdadas, e não é difícil perceber, por exemplo, um gosto estético herdado. Ao usarmos o genograma, podemos perceber como formamos e mantemos (ou não mantemos) relacionamentos, como agimos nos grupos, como tomamos decisões, como usamos o pensamento e as emoções, e como geralmente encontramos nosso lugar no mundo. No genograma, essas características herdadas são óbvias como a cor do cabelo ou o gosto pessoal. O objetivo do exercício é libertá-lo para que você faça escolhas mais apropriadas, de modo que seja VOCÊ quem faz as escolhas, e não seus bisavós.

Você pode se sentir ridículo ao pensar que seus ancestrais o estão influenciando hoje, mas parte do que somos vem de gerações anteriores, de maneiras produtivas ou improdutivas. Você pode encontrar instruções exatas para o exercício do genograma no final deste livro.

Através dos milênios, histórias, músicas e rituais foram transmitidos pelos mais velhos para os mais jovens de nossas tribos. Algumas das histórias e seus significados se perderam. Pergunto-me: o que mais se perdeu com eles? Em uma época de notícias 24 horas por dias, sete dias por semana, tendemos a ficar absorvidos com as histórias do aqui e do agora; as crises e coisas negativas sempre se sucedendo no mundo. Os nossos mais velhos ainda querem contar suas histórias? Ainda sabemos escutá-los se nos contarem? E se não soubermos, o que vamos escutar então?

Vou terminar com algumas histórias que ilustram, primeiro, como a mudança pode vir através do diálogo e, segundo, como a sabedoria é transmitida de geração para geração.

Die Meistersinger: *Os mestres cantores*

Die Meistersinger von Nürnburg é uma ópera de Wagner. É uma história sobre um concurso de canto. Os Meistersinger ("mestres cantores") são uma espécie de agremiação que administra o concurso segundo regras rígidas, pedantes e inflexíveis que promovem estrutura e disciplina, mas que sufocam a criatividade e a alegria. Walther é um gênio romântico cujo caos injeta brilhantismo, originalidade, paixão, integridade artística, sentimentos eróticos e, infelizmente, um tumulto no processo. Aqui temos os dois elementos de vida entre os quais devemos nos direcionar: rigidez, representada pelos mestres cantores, e caos, representado por Walther.

O herói da ópera é Hans Sachs, um sapateiro, que convence os Meistersinger de que as regras só são úteis se forem flexíveis e aplicadas quando realmente necessárias. Sachs ouve os dois lados, aprecia os pontos de vista opostos e os coloca em diálogo. Ele é um homem culto e ponderado que compreende a necessidade de definir um curso entre o caos e a rigidez. Nós o vemos ponderando sobre as ilusões do homem e a loucura da existência humana e pensando em como aplicar a filosofia ao problema de levar os mestres cantores a apreciar os méritos de Walther e este a perceber a necessidade de algumas regras que preservem a história de seu país. Graças à sua reflexão ponderada, ajuizada e flexível e à sua sabedoria, tudo termina bem. Apenas um dos Meistersinger, Beckmesser, não se convence e permanece inflexível. Beckmesser é derrubado por seus próprios interesses pessoais. Ele tenta trapacear e termina isolado e infeliz. Sachs, ao contrário de Beckmesser, compreende que não há atalho para a flexibilidade; ela exige integridade, muito trabalho e atenção. Nosso trabalho é como o de Sachs. Nós também precisamos negociar aquela linha entre rigidez e caos.

Minha colher de pau

Eu às vezes olho para uma rua movimentada e penso que em pouco mais de cem anos todos nós estaremos mortos. Nessa mesma rua, cem anos atrás, talvez outra mulher tenha pensado a mesma coisa. Mas talvez, como eu, ela tenha se consolado com a ideia de que o amor é gerador e permanece vivo na próxima geração, transmitido nos hábitos de amor que inculcamos em nossos alunos, filhos e amigos. Tenho os quadros de minha falecida tia à minha volta, o anel de minha falecida mãe está no meu dedo e suas palavras dentro de mim ainda me impelem a dizer a minha filha para "ter cuidado" toda vez que ela sai de casa. O sarcasmo rude de meu avô vive em meu pai e em mim, portanto ele não está realmente morto. Quando minha filha apresenta um molde de costura, meu gosto pelo bordado vive nela.

Esse processo profundamente comovente, que liga um ser humano a outro numa torrente de lembranças ao longo de gerações, pode ser simbolizado por determinados objetos que são passados adiante com o conhecimento de nossos antepassados. Eu sou a orgulhosa dona de uma colher de pau que já se transformou em um cepo que em nada se parece com uma colher. Nos anos 1960, anteriores ao surgimento da batedeira elétrica, minha tia me ensinou a bater a manteiga e o açúcar para a massa de bolo; nós sempre usávamos a mesma colher. Já naquela época a colher estava desgastada; minha tia, por sua vez, a havia usado quando criança. Hoje eu uso a batedeira; mas a visão daquela colher na gaveta me traz lágrimas aos olhos quando me pega desprevenida ou com os hormônios em alta. Minha tia acabará por ser esquecida; minha filha talvez não fale dela com seus filhos; mas tenho certeza de que minha filha conhece a história da colher e ensinará seus próprios filhos a fazer bolos. Junto com as receitas de bolo transmitirá o amor que recebi de minha tia. Oh, sim, minha tia continuará a viver, mesmo que seu nome seja mencionado cada vez menos e sua colher seja jogada fora.

Conclusão

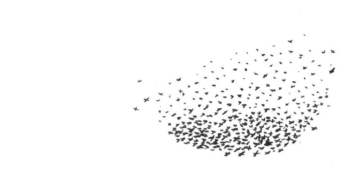

Então, como manter a mente sã? Podemos desenvolver nossas faculdades de auto-observação para que tenhamos a capacidade de observar até mesmo nossas emoções mais fortes, em vez de sermos definidos por elas, permitindo que enxerguemos o todo. Auto-observação nos ajuda a evitar autojustificação demais e a ficarmos presos em padrões de comportamento que não funcionam mais para nós. Podemos priorizar nutrir relacionamentos e nos permitir estar abertos. Podemos nos relacionar — não como quem *achamos* que deveríamos ser, mas como quem realmente *somos*, e assim dando a nós mesmos a chance de se conectar e formar laços com os outros. Podemos buscar o "estresse bom" para manter nossas mentes e corpos preparados para a finalidade pretendida, e podemos ficar atentos às histórias que ouvimos e aos sistemas de crenças pelos quais vivemos nossas vidas.

É tão fácil assim? Não, não é. Uma das coisas que pode nos dar a ilusão de sanidade é a segurança; no entanto, segurança é uma armadilha. Por outro lado, podemos oscilar demais para a direção oposta e ficarmos tão inseguros que não seguimos caminho nenhum. Os extremos parecem não ser o melhor caminho em direção à sanidade. Quero dizer, faça uma marca, coloque um pé no caminho, veja (e sinta e pense) como ele se sente; e então você pode ter uma boa noção de onde colocar o outro pé. E se você começar a seguir na direção errada, nunca é tarde demais para mudar o caminho.

Espero que tenha sido útil ler sobre como manter a mente sã. Para aproveitar ainda mais este livro, faça os exercícios da próxima seção.

Exercícios

Espero que este livro lhe seja útil, mesmo que você só o leia. No entanto, para fazer conexões, apenas lê-lo é raramente o suficiente. Para realmente introjetarmos as lições deste livro, é necessário que trabalhemos de forma experimental. Uma coisa é saber algo, outra é incorporá-la. Para incorporar os hábitos da auto-observação é necessário praticá-los; simplesmente saber sobre eles não é o suficiente. O objetivo das instruções que vêm como um aeromodelo não é fornecer material de leitura, mas guiá-lo nos passos práticos a que você precisa se aplicar para construir o avião. Este capítulo de exercícios é similar a essas instruções. Os exercícios não são simplesmente para ser lidos, são para ser feitos. Faça os exercícios individualmente, com outras pessoas ou em grupo. Não faça muitos exercícios de uma só vez. Pessoalmente, um por dia seria o suficiente para mim: isso me dá tempo para permitir que surjam insights de meu inconsciente, e para que qualquer autoajuste ocorra.

1. O exercício de um minuto

Por sessenta segundos, concentre toda a sua atenção na sua respiração. Respire normalmente e traga sua atenção de volta sempre que ela se afastar da sua respiração, sem tentar mudar como você já está respirando. Tente isso sem pensar em palavras.

São necessários anos de prática antes que consigamos completar um único minuto desse tipo de atenção alerta e clara. Este não é um tipo de exercício no qual existe erro. O importante é experimentá-lo. Este exercício simples de respiração fornece a base para outros exercícios que virão na sequência, mas não espere dominá-lo para tentar outros exercícios. Simplesmente retorne a este com frequência.

Quando o minuto terminar, perceba como o exercício foi para você. Como foi direcionar sua atenção? Você notou uma mudança no seu humor? Como o exercício o afetou e por quanto tempo seus efeitos duram?

2. O exercício de trinta minutos[26]

- Comprometa-se a fazer o exercício e reserve trinta minutos completos para ele.
- Pegue um caderno e algo com o que escrever.
- Desligue telefone, computador, rádio e televisão. Decida-se a não pegar um livro ou jornal e escolha uma hora em que você não será perturbado.
- Pegue um relógio ou um cronômetro e ajuste-o para 30 minutos.
- Sente-se com um apoio para as costas. Você pode estender os pés, mas não se deite, porque você pode dormir e não é esse o propósito do exercício.
- Volte sua atenção para sua respiração e esvazie sua mente de outros pensamentos.

- Os pensamentos virão à sua mente, mas não se apegue a nenhum deles. Rotule o pensamento e o escreva em seu caderno com uma ou duas palavras e depois o abandone. Quando o próximo pensamento vier à sua mente, faça o mesmo. Se o ímpeto de interromper o exercício vier à sua mente, trate-o como a qualquer outro pensamento, registre-o e volte sua atenção à respiração.
- Faça isso por 30 minutos.

Agora observe todos os pensamentos que você escreveu e coloque-os em uma das seguintes categorias e depois some os pensamentos de cada categoria. Os números no final de cada categoria são meus próprios resultados para este exercício:

- Pensamentos de percepção sensorial: por exemplo, sons, imagens, cheiros, sensações – 4
- Pensamentos de planejamento: listas de coisas que você quer ou precisa – 3
- Pensamentos que provocam ansiedade: preocupações ou pensamentos autodepreciativos – 2
- Lembranças – 0
- Fantasias sobre situações, relacionamentos ou acontecimentos que não existem – 0
- Pensamentos de inveja, raiva, rebelião e crítica: desejo de interromper o exercício ou pensamentos críticos sobre os outros – 5
- Controle: algum pensamento que você não foi capaz de afastar e que dominou o exercício? – 0

Você pode acrescentar mais categorias que se ajustem aos tipos de pensamentos que você tem.

A intenção do exercício é, primeiro, ver o que acontece com você, para que você veja como o vivencia. Você provavelmente consiga observar bastante bem as palavras que usa quando conversa consigo mesmo, mas é interessante ouvir aqueles pensamentos que não têm palavras.

Segundo, essa amostra de trinta minutos é provavelmente um bom indicativo da porcentagem de seus pensamentos diários nas diferentes áreas. Então, por exemplo, se você passar 80% de seus pensamentos na fantasia e 20% sentindo-se crítico, pode olhar para isso e pensar: "Posso fazer uma escolha. Eu talvez queira tentar. Não seria mais satisfatório dedicar mais tempo dos meus pensamentos percebendo o que eu consigo ver ou cheirar ou, se em vez disso, eu me concentrasse no que eu aprecio?" O objetivo do exercício é que você se torne mais atento a si mesmo. A única forma de errar neste exercício é não o fazendo, ou abandonando-o antes da hora. Mas mesmo nesse caso você pode recomeçar.

Esta é uma parte do resumo que fiz e das conclusões que tirei quando terminei o exercício:

> Não sei em que categoria colocar meu pensamento passageiro sobre gostar de marmelada; talvez devesse entrar em fantasia, em vez de percepção sensorial. De qualquer modo, acho que isso não importa. Percebo que escrevi "gorda demais"; não consigo me lembrar de ter tido esse pensamento, mas acho que estava pensando em mim mesma — isso definitivamente entra em "Pensamentos que provocam ansiedade". Senti um bocado de resistência para fazer o exercício — identifico

cinco protestos no caderno. Outra coisa que percebi foi que todos os protestos aconteceram nos primeiros dez minutos e que a primeira metade pareceu correr lentamente. Depois eu me entreguei ao exercício e a segunda metade passou quase depressa demais, e eu lamentei por ter terminado. Depois que parei de resistir, senti como se estivesse fazendo companhia a mim mesma e a sensação foi boa. Será que foi porque eu então estava aberta ao que surgia na minha cabeça? Não tenho certeza do motivo dessa resistência, mas me pareceu bastante familiar. Da próxima vez que sentir esta resistência, ficarei curiosa para saber do que se trata. Se é uma questão de ganho de longo ou de curto prazo. Neste momento sinto-me satisfeita por tê-la ouvido e a colocado de lado. Se eu tivesse agido a partir dela, isso poderia ser visto como autossabotagem. Acho incrível que um exercício tão simples como este realmente dê a sensação de que prestei uma atenção positiva a mim mesma e ganhei com isso. Não estou bem certa se os significados que extraí dele são mais do que pós-racionalização, mas avaliar isso também pode ser satisfatório.

Este exercício nos dá informações sobre nós mesmos que de outra forma talvez não avaliássemos. Quando fazemos o exercício uma vez por semana e comparamos os resultados, podemos monitorar as mudanças em nosso padrão de pensamento. Também permite que tenhamos a habilidade para perceber quais pensamentos estimulam nossa criatividade e curiosidade e que talvez possam nos levar ao crescimento, e quais que, ao contrário, nos levam para o beco sem saída da pós-racionalização.

3. Exercício de auto-observação para fazer durante o trabalho

Tente isto: da próxima vez que você estiver fazendo as tarefas domésticas – cozinhando, limpando, lavando etc. — concentre-se com total atenção no que você estiver fazendo e registre mentalmente cada sentimento, pensamento, sensação ou lembrança que entre na sua cabeça. Por exemplo: "Agora estou lavando uma xícara; sinto a água quente e as bolhas de sabão; agora estou colocando a xícara no escorredor e percebendo o barulho que fazem ao encostarem uma na outra; agora estou pensando na guerra no Afeganistão; agora estou puxando a tomada, e assim por diante. Você pode tomar uma ducha com total atenção, ou lavar o chão da cozinha, ou fazer uma refeição. Esta é uma forma simples de desenvolver a auto-observação e se concentrar em viver no presente.

4. Exercício de atenção plena

Para este exercício eu gosto de reservar entre 45 minutos e uma hora, mas você pode começar com cinco minutos de concentração, e ir aumentando. Pode ajudar pedir a alguém que leia o exercício enquanto você o faz, ou você pode gravar a si mesmo lendo-o em voz alta, e depois tocar o áudio.

Pense nisso como um exercício para o seu cérebro, portanto não durma. Sente-se em uma cadeira com as costas retas, pés no chão e olhos abertos. Primeiro, e sem mudar, observe como você está respirando... Quando sua mente vagar, e isso vai acontecer, traga-a de volta à respiração... Observe como o seu abdômen se expande quando você inspira...

Olhando para o chão bem à sua frente, observe aquilo em que seus olhos pousam; fique atento às cores, texturas e formas que você consegue ver. Passe um minuto ou dois olhando e observando, sem julgar, aquilo que você vê... Volte sua atenção novamente para a sua respiração... Imagine a forma que o ar toma dentro do seu corpo... Observe a inspiração... Observe a expiração...

Perceba todos os sons que você ouve... Perceba os sons do lado de fora... Perceba os sons do lado de dentro... Durante dois minutos alterne sua atenção entre todas as diferentes fontes de sons que você consegue ouvir... Agora retorne sua atenção para a sua respiração... Observe a sensação da sua expiração conforme o ar deixa suas narinas... Observe a sensação diferente do ar entrando em suas narinas durante a inspiração... Fique atento a qualquer gosto em sua boca e odores no cômodo... em sua inspiração, preste atenção ao gosto... e na expiração, preste atenção ao cheiro... Em que lugar de sua língua você está sentindo o gosto?... Em que ponto do ciclo de respiração você sente melhor o cheiro?...

Retorne à sua respiração... Imagine o ar limpo viajando pelo seu corpo até chegar aos pés... Perceba como as plantas dos seus pés se sentem... O que a pele dos seus pés sentem nesse exato instante?... Em que ponto dos pés há mais pressão?... Agora preste atenção ao que a pele de sua mão direita sente... O que ela está tocando?... Agora volte sua atenção para sua mão esquerda... pense na temperatura externa que suas mãos podem sentir... Retorne à sua respiração... Se seus olhos não estiverem fechados, feche-os agora enquanto observa como você está respirando...

Volte sua atenção para seu sistema digestivo... Mova sua atenção lentamente por sua boca... esôfago... estômago... intestino delgado... intestino grosso... bexiga... reto... Retorne à sua respiração, note sua inspiração... depois sua expiração... Observe a volta ao ponto máximo da respiração... Quanto tempo você leva, depois de inspirar, para iniciar a expiração?... Preste atenção nessa pausa... Preste atenção na pausa do ponto máximo da respiração... Agora volte sua atenção para o seu coração... Observe seu pulso... Permaneça aí por algum tempo, atento ao seu batimento cardíaco... Volte a observar sua respiração e faça uma pausa aí por um minuto...

Foque na conversa em sua cabeça... Passe um tempo observando os pensamentos que está tendo... Retorne à sua respiração... Agora imagine que você é capaz de respirar debaixo d'água, como um peixe... Imagine-se no fundo do oceano, olhando para a superfície da água... Essa superfície é seu estado de espírito... Ela é tempestuosa?... Calma?... Agora você é um pássaro voando muito acima da água... Com o poder do seu pensamento, você pode tornar a água turbulenta ou tranquila... Volte a atenção para a sua respiração...

Agora volte seu foco interior para a pessoa que está mais próxima a você no momento... Como você se relaciona com essa pessoa?... Como você se sente quando pensa nela?... Amplie a rede para abarcar as pessoas com quem você conversou hoje... O que você pode notar sobre como se sente conectado ou desconectado delas?... Como você se sente conectado ou desconectado de seus familiares e amigos mais próximos?... Da sua comunidade?... Do seu país... Do seu mundo?...

Volte mais uma vez à sua respiração. Tenha consciência do subir e descer da sua respiração. Lembre-se do que acabou de fazer. Você explorou seus cinco sentidos mais imediatos: visão, audição, tato, paladar e olfato. Você explorou sensações físicas interiores e observou seus pensamentos e sentimentos. Você visualizou seus sentimentos como a superfície do oceano, ao mesmo tempo que os observou. Você percebeu sua sensação de ligação com os outros, e agora pode voltar, mais uma vez, à sua respiração...

Ao observar sua respiração, veja a si mesmo observando sua respiração... Perceba que você pode concentrar sua atenção intencionalmente em qualquer uma dessas áreas... Você não está à mercê dos seus pensamentos, você pode direcioná-los... Você pode observar algo deliberadamente... Ou pode notar, deliberada ou distraidamente, sua atenção se dispersando...

Escreva ou desenhe como foi para você fazer esse exercício. O que está em primeiro plano para você agora ao relembrá-lo?

5. Exercício de respiração 1234[27]

Sente-se com apoio ou deite-se. Preste atenção à sua respiração. Ao respirar, dê um número a cada estágio da sua respiração.

1. *Inspire*
2. *Ponto máximo da inspiração*
3. *Expire*
4. *Ponto mais baixo da expiração*

Acostume-se a contar com a respiração. Se você passar muito pouco tempo no ponto mais alto ou mais baixo da respiração para usar os números 2 e 4, reduza a velocidade até que você esteja contando e respirando facilmente.

Agora, conforme conta e respira, traga o lado observador de sua mente. Observe as diferenças sutis de emoção que você experimenta a cada estágio da respiração. Primeiro, compare 1 e 3, depois compare 2 e 4. Note qual é o estágio mais confortável do ciclo de respiração para você e qual o menos confortável. Leve o tempo que precisar fazendo isso.

Quando estivermos conscientes das nuanças da nossa emoção em cada número, vamos substituir os números por um mantra. Para que você entre com a frase inteira, vai precisar aumentar o fôlego; se estiver respirando lentamente e tiver tempo suficiente, não sinta necessidade de se apressar. Substitua os números pelas seguintes frases:

1. *Eu recebo do mundo*
2. *Torno isso meu*
3. *Devolvo ao mundo*
4. *Retorno a mim mesmo*

Você pode refletir sobre se as frases se correlacionam com os momentos do ciclo da respiração quando você se sentiu mais ou menos confortável, e se há alguma nova informação para você ali. Você também pode usar esses mantras para meditar sobre qualquer interação em que você se sinta melhor do que os outros ou emocionalmente afetado. Por exemplo:

1. *(inspirando) Vi alguém estacionando na minha vaga (pego do mundo)*

2. *(ponto máximo da respiração) Imaginei que fizeram de propósito para me irritar (torno isso meu)*
3. *(expiração) Gritei para que não estacionassem ali (devolvo ao mundo)*
4. *(ponto mais baixo da respiração) Me senti melhor que ele (retorno a mim mesmo)*

Depois pode usar o mantra para pensar em como agirá diferentemente no futuro:

1. *(inspirando) Verei alguém estacionando na minha vaga (pego do mundo)*
2. *(ponto máximo da respiração) Não vou tomar isso como pessoal (torno isso meu)*
3. *(expirando) Direi a eles que paguei pelo espaço e que há estacionamento público no outro quarteirão. Faço uma placa maior para o espaço (devolvo ao mundo)*
4. *(ponto mais baixo da respiração) Sinto-me bem (retorno a mim mesmo)*

Um exemplo mais positivo poderia ser:

1. *(inspirando) Minha tia me ensinou a cozinhar (pego do mundo)*
2. *(ponto máximo da respiração) Inventei minhas próprias receitas (torno isso meu)*
3. *(inspirando) Passo meu conhecimento adiante (devolvo ao mundo)*

4. *(ponto mais baixo da respiração) Sinto-me bem (retorno a mim mesmo)*

Quando descobrir esses exercícios, talvez eleja um favorito. O de respiração 1234 é o meu. Faço pelo menos uma vez por semana e normalmente com mais frequência. Amo como, para mim, ele reflete a experiência de se estar vivo, de absorver e se abrir, e depois voltar para o nosso ser. Também reflete como cada um de nós coloca sua interpretação particular ("Torno isso meu") no que percebe.

6. O exercício do lugar lotado (sentir, pensar, agir)

O Exercício do Lugar Lotado nos ajuda a descobrir qual "zona de existência" é a mais confortável. Para funcionarmos da melhor forma possível, precisamos operar em três "zonas de existência": sentir, pensar e agir. Normalmente nos sentimos mais confortáveis em uma ou duas dessas zonas. O Exercício do Lugar Lotado pode nos ajudar a perceber a zona para a qual nos voltamos primeiro e nos lembrar de usar todas as três zonas para maximizar nossos recursos interiores.

Para começar, faça este exercício rapidamente, sem ler cada parte. Você precisará de algo para escrever e um bloco de anotações (ou escreva as respostas neste livro). Suas respostas não precisam ser longas. Você está buscando suas primeiras impressões, e não deliberações. (Usei o pronome "eu" ao longo de todo o exercício — o "eu" é você e não eu!)

i.
- Imagino que estou num lugar lotado. Sinto.....................
- Nesse lugar lotado, estou acompanhado de meus familiares e amigos e sinto.....................
- A multidão invade o caminho e de algum modo acabo me separando de meu grupo. Sinto.....................
- Estou cercado por centenas de pessoas, mas estou sozinho. Sinto ....
- A multidão se dispersa e fico sozinho. Sinto.....................

ii.

- Estou num lugar lotado. Penso......................
- Meus familiares e amigos estão comigo. Penso......................
- A multidão invade o caminho e de algum modo acabo me separando de meu grupo. Penso......................
- Estou cercado por centenas de pessoas, mas estou sozinho. Penso......................
- A multidão se dispersa e fico sozinho. Penso......................

iii.

- Estou num lugar lotado. O que faço a seguir é......................
- Meus familiares e amigos estão comigo. O que faço a seguir é......................
- A multidão invade o caminho e de algum modo acabo separado de meu grupo. O que faço a seguir é......................
- Estou cercado por centenas de pessoas, mas estou sozinho. O que faço a seguir é......................
- A multidão se dispersa e fico sozinho. O que faço a seguir é......................

Agora responda a estas perguntas:

- Repensando esta visualização, você se viu como uma criança, um dos adultos ou a pessoa responsável pelo grupo?
- Você acha importante agarrar-se ao papel que imaginou para si mesmo?
- Quanta diferença houve entre as respostas do sentir, pensar e agir? (Se as respostas forem as mesmas, volte e refaça o exercício!)

- Quais respostas vieram mais facilmente para você, a do sentir, pensar ou agir?
- Quão flexível ou rígido você é em relação às suas reações? Você percebe que tem uma escolha? Ou não há escolha no modo como você reage?
- Você acha que seu pensamento influencia seu sentimento e sua ação? Ou seu sentimento influencia seu pensamento e sua ação? Ou, para você, é a ação que parece vir antes, seguida do sentir ou do pensar?
- Qual você diria que foi a sua zona dominante: sentir, pensar ou agir? E qual é sua zona de existência menos praticada?
- Se você pensar em algumas das outras escolhas que afetam como você age, pensa ou sente e se imaginar praticando-as, como se sente?
- Se você pensar nos dias à sua frente, que opções há para o modo como você sente, pensa e age? Padrões de comportamento são habituais, mas como você se sente apenas imaginando modificar alguns desses padrões?
- Como pareceriam os padrões com uma ou duas pequenas mudanças?
- Como pareceriam com grandes mudanças?
- Quantas de suas respostas refletiram pessimismo?
- Quantas de suas respostas refletiram otimismo?

iv.
- Sinta sua reação ao exercício.
- Pense sobre sua reação ao exercício.
- Você *fez* o exercício? Você costuma deixar de lado o "fazer" em sua vida? Isso é um padrão?

Este exercício pode ter nos ajudado a perceber a zona para a qual nos voltamos primeiro e nos lembrar de usar as três zonas — pensar, sentir e agir — para maximizar nossos recursos interiores.

Também uso este exercício quando trabalho com casais ou grupos para descobrir em que zona cada um se sente mais confortável. Quando isso é entendido e comunicado, as pessoas podem entender melhor um ao outro e melhorar seus relacionamentos. Por exemplo, pedi a um casal com quem eu estava trabalhando para que me descrevesse uma discussão típica entre os dois. Disseram-me que estavam sendo aguardados na casa de um amigo, onde passariam o fim de semana. O anfitrião tinha dito: "Saiam depois do café da manhã e a gente se vê." O homem concluiu que isso significava todos no carro em torno das oito e meia, prontos para pegar a estrada. A mulher tinha concluído que significava que podia dar o cereal às crianças enquanto assistiam a desenhos animados e arrumar as malas com calma, ouvindo seu programa de rádio favorito das manhãs de sábado. Às nove horas, ao ver o resto da família ainda de pijama, ele começou a levantar a voz, e ela respondeu da mesma forma.

O homem "agia" e a mulher "sentia", mas não entendiam isso, e achavam a abordagem de cada um a essa situação cotidiana incompreensível. Fazer o Exercício do Lugar Lotado um com o outro, e aprender que cada um tem uma determinada "zona de existência" mais desenvolvida que as outras zonas, os ajudou a entender melhor um ao outro e a prever as reações um do outro a determinadas situações. Isso permitiu que fossem mais específicos no que cada um precisava e que chegassem a um acordo — não porque um deles estava certo e o outro errado, mas porque passaram a entender que eram diferentes e que cada um precisava considerar o outro de acordo.

7. O exercício do genograma

Este exercício pode levar de algumas horas a uma semana, dependendo de quanto tempo você dedica a ele. É melhor não se apressar, então tente fazê-lo quando tiver tempo suficiente. O genograma é provavelmente umas das ferramentas mais abrangentes que existe para ajudar no autoconhecimento, dando-lhe quase tantos insights sobre você mesmo quanto você teria com um terapeuta. Mas vem acompanhado de uma advertência. Preste atenção a si mesmo enquanto o faz. Ouça seu instinto. Se você se sentir oprimido pelas informações que está revelando, leve a sério esse sentimento e faça uma pausa ou pare. Você poderá retornar a ele mais tarde ou fazer o exercício quando tiver mais apoio.

i.
Desenhe uma linha horizontal no centro de uma grande folha de papel. Em cada uma das extremidades coloque uma pequenina linha vertical levando a um pequeno quadrado para seu pai e, no outro extremo da linha horizontal, um círculo para sua mãe.

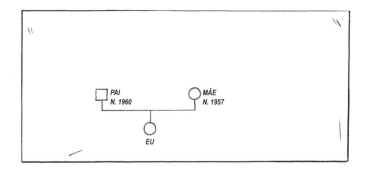

Se você tiver sido criado por um casal gay, desenhe dois círculos para duas mulheres e dois quadrados para dois homens. Coloque seus nomes e as datas de nascimento junto a seus símbolos. Se um deles tiver morrido, coloque um X em cima do símbolo e a data de sua morte. Se tiver havido um divórcio ou separação, marque a data em que isso ocorreu com duas barras sobre a linha horizontal (do casamento).

ii.
Em seguida, desenhe-se a si mesmo e seus irmãos no mapa — quadrados para homens, círculos para mulheres. Coloque uma estrela em seu círculo ou quadrado, porque você é a estrela nesse exercício. Marque qualquer aborto espontâneo com um pequeno ponto.

iii.
Agora insira os avós. Insira seus tios e tias, segundo a ordem correta de nascimento. Não estou dizendo que é fácil fazer isso, mas continue. Geralmente é nessa parte que eu recomeço em uma folha de papel ainda maior. Agora você terá um mapa de seus parentes mais próximos: pais, irmãos, avós, tias e tios.[28] Acrescente seus parentes por casamento e qualquer outro parente de sangue — seus filhos, sobrinhos, primos, sobrinhas; inclua todos eles. Escolha cinco adjetivos para descrever cada pessoa — peça que os outros membros de sua família o ajudem, mas evite nostalgia sentimental e seja realista.

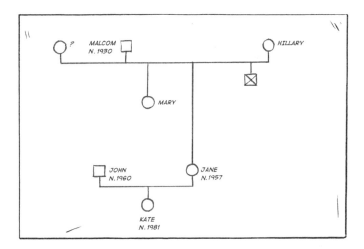

iv.

Se um indivíduo tiver tido mais de um casamento ou morado com o parceiro, mostre isso aumentando as linhas de casamento. Insira qualquer pessoa sem relação de parentesco que tenha vivido com sua família, como um hóspede, ou qualquer um que tenha sido especialmente importante para você ou sua família — talvez com uma linha de cor diferente.

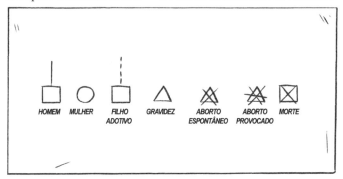

Aqui estão todos os símbolos de que você precisará no mapa. Como você pode ver, usará linhas diferentes entre duas pessoas para mostrar se um relacionamento era íntimo ou conflituoso, violento, amoroso e assim por diante.

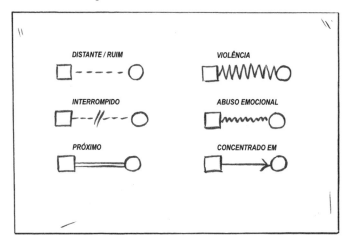

Conforme cria o genograma familiar, o que você está notando? Quais são seus sentimentos? Você se sente fascinado ou quer colocá-lo de lado? Tente não interpretar nem dar explicações para os sentimentos imediatamente, mas permaneça com eles. Ao fazer este exercício, você estará recuperando impressões, lembranças e associações. Mensagens invisíveis, como as pessoas em quem você sente que pode confiar e em quem não sente, aparecerão aos poucos durante a execução do exercício. Você pode colocar todas essas mensagens explícitas e implícitas sobre a mesa e decidir quais deseja manter e de quais quer estar mais consciente para poder compreender o impacto que estão tendo em sua vida hoje.

Pense nas escolhas importantes que você fez sobre querer, ou não querer, ser definido pelo que vivenciou e observou em sua família. Faça uma lista dessas coisas. Essas decisões mudaram desde que você as tomou? Quais ainda atuam em sua vida? Revendo esses relacionamentos passados, você consegue identificar como eles podem estar afetando seus relacionamentos atuais?

Seguem mais algumas perguntas que talvez você queira considerar:

- Com que membro da sua família, ou membros, você é mais parecido? Com quais qualidades deles você mais se identifica?
- Pense nas mensagens mais antigas que recebeu de cada membro da família. O que você considera importante na vida? De onde vieram suas regras de vida? Por exemplo, o que você acha que pode revelar sobre si mesmo aos outros? De onde vem sua abertura, ou reserva?
- De que maneira o amor é expresso em sua família? Como se demonstra carinho? O que acontecia quando alguém precisava de ajuda extra em sua família? A quem procuravam e que tipo de apoio recebiam? Quando você precisa de apoio, como o obtém?
- Como as emoções eram expressas em sua família? Como as emoções eram contidas em sua família? Como as emoções eram reprimidas em sua família?
- Como as crianças eram tratadas e educadas? Como eram disciplinadas?
- Qual é sua fantasia de família feliz? Como ela se compara à realidade apresentada no genograma?
- No que seus pais acertaram?

- Como todos os vários membros da sua família se relacionavam uns com os outros e como isso afetou sua vida?
- Identifique as crises familiares. Há um padrão? Houve rompimento completo entre irmãos, por exemplo? Falências? Desastres? Você consegue identificar padrões de culpabilização? Quais são os padrões para o caos em sua família?
- Quais são os padrões para o divórcio na família de seus pais? Quais são eles em sua família?
- Observe os padrões de relacionamento entre todas as pessoas em seu mapa. Quem entrou? Quem foi afastado? Há alguém que sempre parece fazer o papel de bode expiatório — o pária? Há também uma cultura de favoritismo?
- Quem teve problemas de saúde mental em sua família? Observando os problemas de saúde mental ao longo das gerações, eles parecem vir de traços familiares ou de eventos externos? Que evidências há de que o efeito de experiências traumáticas é transmitido ao longo das gerações?
- Observe o relacionamento entre você e sua mãe. Observe o relacionamento entre ela e a mãe dela. Faça o mesmo com seu pai e o pai dele, e observe o relacionamento deles com ambos os pais.
- Qual é o padrão da relação com a autoridade em sua família? Como seus avós se relacionavam com a autoridade? E seus pais? E você? De que modo os relacionamentos deles com a autoridade impactaram o seu? Repita esta pergunta em relação ao sexo oposto, às minorias étnicas, aos pobres, aos ricos, aos estrangeiros etc.

Exercícios 139

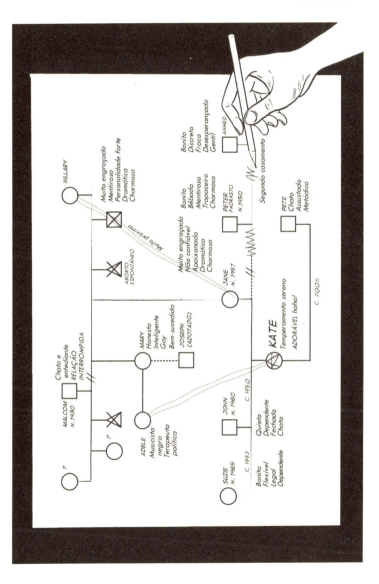

- De que modo os padrões que você notou ajudaram a moldar seu caráter, sua identidade?
- Quais são as crenças em relação ao "modo certo" de fazer as coisas em sua família? Qual é o jeito certo, por exemplo, de conduzir conversas superficiais ou de se envolver em um relacionamento amoroso? Quais são os valores comuns, explícitos e implícitos?
- Em relação ao afeto e à atenção, você se sente devedor ou credor? Você se sente compreendido por sua família de origem ou um desconhecido para ela?
- De que modo se formaram as expectativas que você tem em relação aos relacionamentos?
- Há empregos ou profissões que cada geração parece seguir? Quais são seus sentimentos em relação à transmissão de hobbies ou profissões?
- Como as pessoas presentes no genograma falam sobre as outras pessoas do genograma? Você já tinha notado isso? De que maneira isso influenciou o modo como você fala das outras pessoas?
- Quando seus pais não estavam presentes, como era ficar com seus irmãos? Quem assumia que papel? Você era descartado ou valorizado? Quem ocupava o centro das atenções? Quem desaparecia nas sombras? De que modo a participação nesses diferentes grupos numéricos o afeta hoje? Você acha que há segurança nos grupos? Ou se sente acovardado em meio a grupos grandes? Você se sente bem com mais uma pessoa, mas ameaçado em três? É difícil para você estar em um grupo hoje? Você consegue identificar, pela observação do genograma de sua família, de onde isso veio?

- Que histórias a geração mais velha costumava contar à mais nova? Você está passando essas histórias adiante? Há ritmos semelhantes nas histórias que vocês contam uns aos outros? Você não conta nenhuma história?
- Como seus pais usavam a televisão? Isso foi passado adiante? Pense no modo como as refeições são feitas em sua família. Vocês se sentam à mesa, como um grupo? Na frente da televisão? Ou nunca há refeições em família?
- Que atitude seus ancestrais tinham em relação à religião? Como isso o afetou?
- Sua família era aberta ou cheia de segredos? Entre si? Com pessoas fora da família? Qual é sua própria atitude em relação aos segredos?
- Qual foi sua herança emocional? Que maneiras de acreditar, se comportar, pensar e sentir você herdou de seus ancestrais?
- Qual foi seu condicionamento sobre o modo certo e errado de fazer as coisas?
- Em sua família, o raciocínio era mais considerado do que o sentimento e a ação? Ou ser capaz de se emocionar e agir tinha mais aprovação na sua família? Qual o legado disso para você?
- O que se destacam como as coisas mais importantes (positivas e negativas) que você já aprendeu pela experiência de estar na sua família?
- Em sua família, quais são as atitudes masculinas e femininas em relação ao trabalho? E em relação ao dinheiro? E ao sexo?
- Que papel a imigração ou emigração teve em sua família? E a permanência no mesmo lugar? Como isso o afeta hoje?

- Como você está lidando com este exercício? Como você imagina a atitude de seus ancestrais em relação a ele?

Essas perguntas não esgotam o assunto. Se outras perguntas e linhas de questionamento ocorreram a você, desenvolva-as. Esses são apenas exemplos de perguntas que você pode responder mais plenamente com a ajuda do seu genograma. Desenhe e escreva nele. Você talvez queira criar vários com temas diferentes.

A partir do genograma você talvez consiga se lembrar de histórias e lendas familiares que não são tóxicas, mas que nutrem e alimentam. Toda família é um saco misto e é importante não jogar fora as coisas boas quando retiramos os mitos menos úteis que nos foram implícita ou explicitamente contados.

Comparo esse exercício com a limpeza de um armário — um que não abro há muito tempo. Pode ser que cada objeto tenha uma carga emocional, mas preciso de espaço para coisas novas e, por isso, em vez de guardar tudo ou jogar tudo fora, preciso pegar cada objeto, decidir como me sinto em relação a ele, e então guardá-lo ou descartá-lo.

Este é um pequeno exemplo dos exercícios que você pode fazer para desenvolver e manter o autoconhecimento. Algumas pessoas podem fazê-los com um terapeuta ou em um grupo de terapia, mas você também pode fazê-los individualmente ou com amigos. Fazer estes exercícios como um trabalho para se manter são é um empreendimento que nunca tem fim. Já fiz o genograma muitas vezes e sempre encontro algo novo. Pratico o Exercício de Respiração 1234 e o Exercício de Enraizamento como parte da minha rotina diária. Passo por fases nas quais escrevo em um diário e gosto de manter em mente a extensão da minha zona de conforto. Não afirmaria que me sinto completamente sã o tempo todo, mas sinto que esta prática me ajuda em meus esforços para conseguir isto.

Notas

Introdução

1 O primeiro lugar em que li sobre esta ideia foi no livro *Mindsight*, de Dan Siegel.
2 Adaptado da ideia do livro *The Neuroscience of Psychotherapy*, de Louis Cozolino (Norton, 2012), p. 26.

1. Auto-observação

3 Este exercício é uma adaptação de um exercício similar do livro *You're in Charge: A Guide to Becoming Your Own Therapist*, de Janette Rainwater (De Vorss & Company, 2000).
4 Outras informações a este respeito podem ser encontradas em: http://nobelprize.org/educational/medicine/split-brain/background.html.
5 Esta ideia é desenvolvida no livro *The Untouched Key: Tracing Childhood Trauma in Creativity and Destructiveness* (Virago, 1990).
6 Simon Baron-Cohen explicou as possíveis consequências comportamentais da falta de empatia em seu livro *Zero Degrees of Empathy: a New Theory of Human Cruelty* (Empatia zero) (Allan Lane, 2011).

7   Células T são uma parte particularmente importante do nosso sistema imunológico e podem ser medidas para avaliar nossa saúde e habilidade de combater doenças.
8   http://www.huffingtonpost.com/ocean-robbins/having-gratitude-_b_1073105.html?ref=fb&src=sp&comm_ref=false
9   Em seu livro *The Artist's Way* (O jeito do artista) (Pan Books, 2011), Julia Cameron refere-se a este método como "Páginas matinais".
10 http://lapleineconscience.com/wp-content/uploads/2011/11/Holzel--etal-PPS-2011.pdf

2. Relacionando-se com os outros

11 Neuroplasticidade é a capacidade do cérebro e do sistema nervoso de mudar estrutural e funcionalmente como um resultado do input do ambiente. A plasticidade ocorre com a formação de novas vias neurais que permitem novas formas de pensar, reagir, sentir e se relacionar para se tornar familiar conforme as novas vias vão se estabelecendo.
12 Carl Rogers fundou a psicologia humanista baseada na empatia em vez de na interpretação.
13 Dito por um consultor em traumas na série *24 hours in A & E*.
14 Extraí isso do livro de Kate Fox, *Watching the English* (Observando os ingleses) (Hodder, 2005).
15 Kate Fox, *Watching the English*.

3. Estresse

16 Para mais informações sobre o poder da vulnerabilidade, veja a palestra de Brenbe Brown no TED (http://www.ted.com/talks/brene_brown_on_vulnerability.html).

17 No livro, *Zen and the Art of Motorcycle Maintenance*, de Robert Pirsig (*Zen e a arte da manutenção de motocicletas*, São Paulo: Martins Fontes, 2009).

18 Para saber mais sobre os diferentes estilos de aprendizagem, veja o Googling Howard Gardner; e.g. http://www.infed.org/thinkers/gardner.htm

4. Qual é a história?

19 Meu primeiro contato com narrativas coconstruídas foi no livro *The Neuroscience of Psychotherapy*, de Louis Cozolino.

20 http://en.wikipedia.org/wiki/Cultivation_theory

21 Maruta, Colligan, Malinchor & Offord, 2002; Peterson Seligman & Vaillant 1988, citado em *The Healthy Aging Brain* (O cérebro que envelhece com saúde), de Louis Cozolino (Norton, 2008).

22 Cozolino, *The Healthy Aging Brain*.

23 Essa eu inventei, mas acredito nela.

24 Tirei esta história do *You're in Charge: A Guide to Becoming Your Own Therapist*, de Janette Rainwater.

25 A fé de outra pessoa em você, quando você tem dúvidas de sua própria habilidade, pode levá-lo ao sucesso se você permitir que o otimismo dessa pessoa passe por cima do seu pessimismo.

5. *Exercícios*

26 Este exercício foi levemente adaptado de um exercício do *You're in Charge: A Guide to Becoming Your Own Therapist*, de Janette Rainwater.
27 Este exercício foi inspirado em um workshop de uma conferência da UKAPI (United Kingdom Association for Psychotherapy Integration), em 2003, ministrada por Jochen Lude.
28 Se você digitar "genograma" no Google, encontrará um software para ajudá-lo a confeccioná-lo. Eu mesma não o usei, mas talvez seja útil.

Dever de casa

Um grande número de livros, artigos e conversas contribuiu para as ideias deste livro. Os livros a seguir foram particularmente úteis e são altamente recomendáveis não apenas por sua inspiração e a informação que contêm, mas também como boas leituras.

SIMON BARON-COHEN, *Zero Degrees of Empathy*
Apresentando uma nova forma de compreender o que leva os indivíduos a tratar outros de forma desumana, este livro nos desafia a reconsiderar o conceito de mal.

LOUIS COZOLINO, *The Healthy Aging Brain: Sustaining Attachment, Attaining Wisdom*; *The Neuroscience of Human Relationships: Attachment and the Developing Social Brain*; *The Neuroscience of Psychotherapy: Healing the Social Brain*
Louis Cozolino é um mestre em sintetizar informação neurocientífica para torná-la acessível aos não cientistas. Ele ilustra a profunda conexão entre nossa neurobiologia e nossa vida social, assim como demonstra as aplicações práticas de seu conhecimento.

NORMAN DOIDGE, *The Brain that Changes Itself* (*O cérebro que se transforma*. Rio de Janeiro: Record, 2011)

Uma explicação sobre neuroplasticidade e como nossos cérebros podem recuperar a si mesmos por meio do poder de se focar e dos exercícios.

Maria Gilbert e Vanja Orlans, *Integrative Therapy*
Explica, em profundidade, o funcionamento da psicoterapia: seus conceitos, técnicas, estratégias e processos.

Alice Miller, *The Untouched Key: Tracing Childhood Trauma in Creativity and Destructiveness*
Lamento que este livro esteja atualmente esgotado, mas se você conseguir um exemplar, ele explicará como o trauma infantil pode levar ou à criatividade ou à destrutividade e os fatores que fazem a diferença.

Philippa Perry, *Couch Fiction*
Esta introdução à psicoterapia mostra, em format de HQ, como a terapia funciona e o que esperar dela.

Janette Rainwater, *You're in Charge: A Guide to Becoming Your Own Therapist*
Este guia prático apresenta ideias e exercícios que possibilitam que o leitor aja como se fosse seu próprio terapeuta.

Daniel Siegel, *Mindsight*
A prática contemplativa pode ser usada para manter a boa saúde mental e para aliviar uma série de problemas psicológicos e interpessoais. Este livro explica como e apresenta estudos de caso.

DAVID SNOWDON, *Aging with Grace*
Este livro mostra que a velhice não precisa significar um inevitável embarque na doença e deficiência; antes, pode ser um tempo de promessas e produtividade, de vigor intelectual e livre de doenças.

Agradecimentos

Gostaria de agradecer a Alain de Botton por acreditar que eu seria capaz de escrever um livro de autoajuda e por continuar acreditando quando eu mesma não estava acreditando tanto. Sou grata aos diversos leitores por seu apoio e feedback: Julianne Appel-Opper, Dorothy Charles, Lynn Keane, Nicola Blunden, Daisy Goodwin, Stuart Paterson, Galit Ferguson, Jane Phillimore e Morgwn Rimel.

Gostaria de agradecer à equipe da Pan Macmillan, Liz Gough, Tania Adams e Will Atkins por suas habilidades editoriais. Obrigada a Marcia Mihotich por suas ilustrações e por ter sido tão prazeroso o trabalho em conjunto. Sou agradecida a Gillian Holding por uma anedota útil. Sou grata a Stella Tillyard por todas as leituras nos diversos estágios do manuscrito e por acreditar em mim, me apoiar, por sua amizade e ajuda prática. Quaisquer erros nesta obra são todos meus. Sou profundamente agradecida a meu adorável marido Grayson e a minha filha Flo, que me ajudaram a me manter sã todos os dias.

Anotações

Anotações

Anotações

Anotações

Anotações

Anotações

Se você gostou deste livro e quer ler mais sobre as grandes questões da vida, pode pesquisar sobre os outros livros da série em www.objetiva.com.br.

Se você gostaria de explorar ideias para seu dia a dia, THE SCHOOL OF LIFE oferece um programa regular de aulas, fins de semana, sermões seculares e eventos em Londres e em outras cidades do mundo. Visite www.theschooloflife.com

Como viver
na era digital
Tom Chatfield

Como pensar
mais sobre sexo
Alain de Botton

Como mudar
o mundo
John-Paul Flintoff

Como se preocupar
menos com dinheiro
John Armstrong

Como manter
a mente sã
Philippa Perry

Como encontrar
o trabalho da
sua vida
Roman Krznaric